LE GRAIN AMER

ANNE BROCHET

LE GRAIN AMER

roman

ÉDITIONS DU SEUIL
25, bd Romain-Rolland, Paris XIVe

ISBN : 978-2-02-123083-3

© Éditions du Seuil, avril 2015

www.seuil.com

I

Le porche du Paradis

Cher Bruno, voilà que nous marchons maintenant côte à côte. Nos yeux connaissent le même paysage et pourtant nous avons grandi de façon diamétralement opposée. Nous avons entendu la même histoire dans une version différente. Peut-être est-ce pour cela que nous ne nous rencontrerons jamais vraiment, même si nous nous comprenons très bien.

Nous avons traversé ton jardin sitôt que j'ai tiré la clochette à côté de laquelle était fixée une plaque d'époque, baptisant ta maison *Le Ru du verger*. Quand j'ai lu *Ru du verger*, mon mauvais esprit n'a pas pu s'empêcher de me souffler que cela sonnait *rive gauche*. Et tu es venu m'ouvrir. Tu m'as entraînée immédiatement vers l'étang artificiel de ton grand jardin parce que je venais de te demander, avec une légère impertinence, si tu avais été pris, toi aussi, par le syndrome « mon étang dans mon jardin » qui frappe fréquemment les habitants de la région. Tu m'as répondu après une légère hésitation que c'était pour attirer tes petits-enfants parisiens. Un peu plus tard, j'ai compris que ce suspens d'étonnement, c'était la musique singulière de ta voix et le bref retrait à l'intérieur de toi auquel tu te livres pour réfléchir avant de répondre.

Tu m'as demandé si je me souvenais qu'avant l'étang, il y avait un terrain de tennis, et je t'ai confirmé que je me souvenais parfaitement de lui, et surtout de la façon dont il occupait mon esprit lorsque j'étais enfant. Quand je passais sur *mon* vélo, c'était précisément en direction de cet endroit de terre battue que je ne regardais jamais. Je fixais un point absolu devant moi et je sentais, par tous les pores de ma peau, comme s'ils avaient été des milliers d'yeux, les occupants du lieu, ta famille, toi probablement, qui jouaient au tennis, jusqu'à très tard en été. J'entendais vos souffles courts au moment de frapper la balle, le crissement de vos chaussures, vos exclamations, vos rires, votre acharnement, votre désinvolture et le plaisir de vous affronter. J'écoutais vos bruits dans mon dos et je vous enviais.

Jusqu'à mes quatorze ans, j'ai dépassé le portail de votre parking sur lequel venaient se ranger de belles voitures immatriculées à Paris. Se dressait ensuite votre maison, puis dans son prolongement, s'étirait le terrain de tennis. Je ne les regardais jamais.

Il y avait deux façons de vous observer. Soit du petit chemin qui desservait les trois éléments ci-dessus nommés : parking, maison, terrain de tennis, soit du côté

de la cour de mes grands-parents, qui avait une vue
entièrement dégagée sur le parking et donc sur les habitants des lieux qui venaient se garer avant de pénétrer
dans la propriété.

J'ai quelques vagues souvenirs de mon regard jeté sur
vous à la dérobée : je joue à la corde à sauter, ou je fais
des tours de vélo sur la cour pavée devant le moulin
de mon grand-père, et des membres de ta famille, ou
des amis, débarquent sur le parking. Ils font claquer
les lourdes portières des voitures de luxe. Ils rient,
ils bavardent. *Ils arrivent*. Il me semblait qu'un mystère enveloppait brusquement l'atmosphère générale au
moment précis de *votre présence*. Soudain, l'air générait
une imperceptible tension qui m'indisposait, comme si
mon intérêt sournois pour ce qui se passait chez vous
me perturbait moi-même.

Plusieurs fois par jour, je franchissais le porche gris
clair du moulin de mes grands-parents, pour rejoindre
une piste cyclable qui prolongeait *votre* chemin, celui
qui distribuait votre propriété. Avant de m'y engager,
je freinais net au niveau du torrent qui se déversait
juste après les grosses portes du bâtiment. J'observais
ce que son flot avait apporté de neuf. Dans le réservoir
s'entrechoquaient des objets que nous prenions soin de
canarder, mes cousins, mes frères et moi, car, trop légers
ou trop épais, ils ne parvenaient pas à pénétrer dans le
canal qui les aurait entraînés jusque dans la rivière :
morceaux de polystyrène, bouteilles en plastique, ballons

perdus, et autres objets flottants. Parfois des choses organiques indéterminées et mousseuses restaient sur le versant de la chute, quand le niveau avait baissé et que le débit de l'eau s'était ralenti pour les besoins de la turbine du moulin.

C'est dans ce même bouillon d'eau que mes cousins et moi avons jeté un chaton nouveau-né, parce qu'aucun adulte de la maison n'en voulait et que nous ne savions pas quoi faire de cette petite bête. Nous n'avions pas fait non plus beaucoup d'efforts pour le confier à une famille du village. Il était vraiment très petit. Il n'avait que quelques heures. La maison de mes grands-parents venant d'être vendue, nous n'avions plus d'avenir dans ce lieu, et la mort dans les flots de ce chaton presque aveugle fut une sorte de sacrifice, de symbole d'adieu à ce qui avait été notre enfance légère, fragile et chaude de vie. Je peux voir encore aujourd'hui les yeux du petit animal avant qu'il disparaisse sous l'eau : il exprimait un immense effarement, illustrant à lui seul ce qu'était le chagrin de mourir, même après avoir vécu si brièvement. Mais du chaton, je ne te dis rien, Bruno.

Nous regardons les roseaux fatigués par l'hiver que tu as fait planter autour de ton petit étang. Je te dis qu'une fois passé le pont du torrent, je filais très vite devant votre maison, sprintant le long du terrain de tennis, pour surtout ne croiser personne de chez vous, pour ne pas avoir à découvrir un visage, ne pas avoir

12

à y être confronté. Tout en ne sachant pas pourquoi je m'imposais cela.

Je me souviens de l'odeur piquante de l'eau de rivière qui remontait avec le tumulte de l'écume dès que je franchissais le pont, la légère chute de température quand je m'engouffrais sur *votre* chemin, appelé *le chemin vert*, et cette humidité permanente qui stagnait juste avant le parking.

Je ne te dis pas non plus que je suis tombée deux fois de vélo devant chez vous. Sur mon genou droit, un gros trou. Il n'a pas le temps de guérir que, la semaine qui suit, je tombe au même endroit, sur le même genou. Ma cicatrice, profonde, est toujours là, aujourd'hui minuscule étoile. Je me demande si je n'étais pas tombée parce que j'accélérais systématiquement la cadence devant chez vous et que mon attention n'était plus concentrée sur les embûches du chemin, branchages fraîchement tombés, gravier renouvelé, châtaignes dissimulées par la pénombre des arbres, que sais-je.

Nous repassons devant ta maison. L'étang se trouve maintenant derrière nous. L'ancienne maison de mes grands-parents me fait brusquement face et vient ranimer mon sentiment d'exilée.

J'ai vécu à New York plusieurs années. Là-bas, je pouvais me sentir terriblement seule, mais comme bien d'autres. Je ne vivais pas ce sentiment particulier que j'ai devant les fenêtres de l'ancienne maison familiale.

Je l'ai éprouvé, ce sentiment d'exil, à partir de ma quatorzième année.

Quand notre famille a quitté le moulin.

Dans ton jardin, à tes côtés, je me sens être de nulle part et c'est la confirmation de quelque chose que je traîne depuis longtemps maintenant. Tu m'invites à me rapprocher de la maison de mon enfance du côté de ton jardin. J'avance avec toi. Je vois nettement le premier et le deuxième étage de la maison de brique rouge : à gauche face à moi, la fenêtre de la chambre de mes parents, qui donnait directement sur une petite terrasse et que traversait l'escalier de l'ancien moulin, jouxtant la maison familiale à l'opposé du moulin actif. Ensuite la fenêtre de la chambre du milieu, celle où je me sentais très protégée, juste à côté de mes parents. Puis celle où je dormais hélas la plupart du temps, sur une banquette, parce que la chambre du milieu était occupée par mes frères ou des cousins. C'était une pièce qu'on appelait aussi la *chambre du piano*, dans laquelle j'avais très peur la nuit à cause des téléfilms macabres de la troisième chaîne que j'ingurgitais le samedi soir. Plus loin, les fenêtres de ma tante, la chambre toujours glaciale, la chambre de la mort. Puis la chambre de mes grands-parents, celle qui a vu naître mon père, spacieuse, lumineuse, qui sentait toujours les émanations de salle de bains, savon Palmolive, eau de Cologne, liquide bleu pétrole mystérieux qu'on versait sous le robinet de la baignoire et qui devenait comme par magie de la mousse blanche et épaisse. Cette baignoire était le plus bel objet de ma convoitise. Puis la fenêtre de la salle de bains opacifiée par un verre granuleux et doux au toucher. Au-dessus de chacune des croisées, il y a encore, très visibles, les auvents au-dessus de chacune des croisées, tissus qui furent flambant rouges, devenus rose délavé, élimés par le temps, figées comme des paupières baissées. Au troisième étage, j'observe les deux fenêtres de *la salle de jeu*, au milieu de laquelle trônait un billard français. Les jours de pluie, le dessus de la table revêtu de feutrine verte devenait notre terrain de jeu. Dans un réduit, des boîtes à chapeaux des années trente achetées au Printemps Hausmann. Ils me servaient de déguisements. C'est dans cette pièce aveugle que les Allemands trouveront les clichés de verre que mon grand-père avait pris sur le front de la Grande Guerre en tant que simple poilu. Ils seront tous broyés à coups de talons par les soldats de la Wehrmacht de passage dans la maison vidée de ses habitants en 1940. À côté, la fenêtre de la chambre, dite *chambre verte* parce que tapissée d'un papier vert foncé brillant, pièce avec deux lits simples, couvre-lit à carreaux rouges et blancs, celle dans laquelle je pouvais dormir parfois avec l'un de mes frères ainsi qu'avec le chien de la famille au bout de mes pieds. Je le sens encore. Lourd et chaud. Il est pris de démangeaisons et se rogne furieusement le poil. Je remue mes orteils sous lui, le chatouille à travers le drap pour qu'il cesse de gigoter. C'est dans cette chambre que je me reconstituais vraiment. Je dormais si profondément qu'au réveil je ne savais plus rien du monde ni de moi-même et que je recomposais avec délices tous les éléments majeurs de ma courte vie. J'entendais le carillon de l'église au cœur du village et c'était pour toujours. J'écoutais passer sous les fenêtres le premier camion qui venait se poster devant le moulin et se gorger de farine. Et c'était pour la vie. Je me souviens très bien que mon corps se réveillait avant mon esprit, possédé par l'envie de sortir, d'être déjà dehors à jouer, à explorer notre vallée comme un nouveau monde à peine défloré : sur mon vélo, le long de l'eau, sur les toits interdits de l'ancienne porcherie et du poulailler, à travers les bois, au creux des ravines, dans les carrières naturelles et celles engendrées par les obus anglais de juin 1944. À la suite de la chambre verte, les deux fenêtres de la pièce où séchait le linge. Odeur de linoléum sec et de lessive, toujours. Puis la chambre à l'émanation de souris mortes et desséchées, juste au-dessus de celle de mes grands-parents. Dortoir pour les ouvriers au début de l'entreprise, il devint celui de mes grands cousins étudiant à Paris, avec leurs magazines *Lui*, *Playboy*, leurs collections de « SAS », les pochettes des 33 tours des Bee Gees et de John Lennon posés négligemment au sol. J'explorais cette chambre avec concupiscence. J'attendais mon tour. Moi aussi, j'y aurais droit, plus tard, quand je ferais mes études à Paris. Les fenêtres de cette chambre faisaient face au porche gris clair, face au monde, face à la route qui menait à la gare, et la gare conduisait à la capitale. C'était la chambre juste avant la liberté, avant la vie adulte.

Je te le dis, Bruno. J'aurais aimé être étudiante dans la maison de mes grands-parents. Prendre le train, suivre des cours de théâtre à Paris, rentrer chez ma grand-mère chaque soir, passer l'arche du village qui ressemble à celui d'une médina marocaine, appeler mon chien, qui aurait été vieux mais qui m'aurait sentie de très loin, sitôt que j'aurais franchi le long mur de pierre juste avant la voûte.

J'embrasse ma grand-mère, vieillissante mais rassurée de m'avoir à ses côtés. Je lui montre ma nouvelle paire de chaussures style flamenco que je viens d'acquérir place des Victoires, Paris, Ier arrondissement. Je grimpe quatre à quatre l'escalier. À travers la fenêtre, la rivière s'engouffre, irrésistiblement aspirée sous la maison. Elle aussi fête mon retour. Je file dans le dortoir des grands pour apprendre mes rôles dans les odeurs de souris sèches, puis je redescends boire une soupe de poireaux pommes de terre, je regarde avec ma grand-mère un film Technicolor sur la grosse télévision, et je rêve encore et toujours. Avant d'aller me coucher, je sors le chien. Ma grand-mère a déjà allumé sa lampe de chevet. Ma respiration fait de la vapeur, le silence est ouaté comme je l'aime. Je marche devant votre maison vide, parking vide, terrain de tennis vide, parce que ce serait un soir de la semaine et que vous résidez à Paris. Je profite de votre absence pour me recharger de cette tension que produit votre maison sur mon corps et qui me rend ambitieuse. Je toise votre lieu désert et silencieux et me dis, à moi-même autant qu'à vous, *j'y arriverai moi aussi.*

Me coucher, bercée par le grondement caverneux de la rivière qui remonte à travers la bouche d'égout jusque sous les fenêtres, rêver de gloire, de vie de famille : j'habite dans le moulin de mes grands-parents, je suis une actrice populaire, je joue dans des films obscurs de la troisième chaîne, j'ai un mari au charme certain, très intelligent, professeur de philosophie, universitaire de préférence, nous avons huit enfants. Dans mon rêve, être actrice commence à me lasser, et me vient l'idée de me présenter aux élections pour être maire du village. Si je ne trouve pas le mari de mes rêves, je transformerai le moulin en orphelinat ou en maison d'accueil pour enfants défavorisés. Assez fortunée, je me consacrerai à mon village, avec une dévotion sacerdotale.

Mais de tout cela, et surtout de cette tension que me procurait l'idée même de votre mystérieuse famille, ce challenge que je me lançais, je ne t'en parle pas tout de suite, Bruno. Nous regardons toujours le moulin éteint de mon grand-père, occupé maintenant par un maître verrier, sa femme et leur jeune enfant. Ils sont trois. Nous étions toujours une quinzaine autour de la table de la cuisine. Les stores en bois du deuxième étage sont les mêmes. Une nuit mon grand cousin et sa jeune femme avaient déroulé l'un d'eux avant de se coucher et une nuée d'éphémères, nichées dans le volet comprimé, s'était répandue dans la chambre. Le jeune couple était venu se réfugier et dormir dans *la chambre verte*. Je me souviens qu'ils s'étaient couchés dans l'un des lits « une place », que mon cousin avait les aisselles déployées de part et d'autre de sa tête, que sa femme s'était collée contre lui, sur le coin mou et chaud du creux de son épaule et que son visage exprimait la joie pure. Arriva jusqu'à mon nez le nuage de la transpiration fraîche et masculine des aisselles de mon cousin. La chambre sentait l'amour et la douceur de vivre. C'est ce soir-là que je leur demandai combien ils voulaient avoir d'enfants. Ils me répondirent « huit ». Ils en auront quatre. C'est ce soir-là que je projetai d'avoir également huit enfants que j'élèverais au cœur du village.

Tu m'observes, Bruno, fixer la maison de mes grands-parents. Tu me proposes d'aller rendre visite prochainement aux propriétaires actuels.
Je ne te dis pas que si je passe le porche, plus de trente ans après l'avoir quitté, je ne te dis pas que je peux tomber à genoux et ne plus me relever. Je te réponds juste que je n'en ai pas envie. Car, depuis plus de trente ans, je vis aussi à cause de ce lieu où je ne suis jamais revenu. Et ce lieu, dans mon esprit, est toujours vivant et habité. Comme si le passé était aussi présent

que le présent de ma vie. Il n'a jamais cessé de l'être. Si je franchis le porche, si je pénètre le voile brumeux d'un petit matin comme ceux d'autrefois, si je foule la cour pavée, devinant à peine les murs de crépi jaune ocre du bâtiment, si je longe le trottoir de la maison de brique rouge, si je passe la véranda, si je pousse la porte de la cuisine, et si, malgré cela, je ne croise personne du monde que j'ai aimé, je ne le supporterai pas ; je vis parce que mon imagination croit que les scènes sont encore possibles. J'habite un espace mental où les temps passé, présent et futur ne font qu'un. Mon esprit n'a jamais assimilé l'idée de la perte. Vivre, c'est apprendre à perdre, dit-on. Alors je ne sais pas vivre. J'oppose à la notion de *réalité* une brume permanente qui me permet paradoxalement d'avancer dans ma vie. Je sais bien que mes grands-parents sont morts, mais je sais aussi l'infime et cruciale résistance qui s'opère en moi dès que j'évoque leur disparition.

John, l'homme fondateur de ma vie de femme, est mort il y a quelques années. Mais s'il me téléphonait pour annoncer sa venue, je ne serais pas totalement étonnée. J'aurais peur mais ça ne serait pas par crainte de son fantôme. Je serais encore perturbée et contrariée par l'excitation que j'éprouvais quand il m'appelait pour me dire qu'il arrivait bientôt. Mon corps était immédiatement envahi par une émotion entre désir et rejet, entre la conviction profonde de mon amour pour lui et un doute vertigineux. De la même manière, si je revois ma grand-mère, je lui demanderai, après quelques secondes de considération, si elle veut bien me faire ses pommes de terre rissolées.

Aujourd'hui, ma vie présente, que je nommerais ma réalité fictionnelle, c'est de regarder cette maison adorée qui fut la mienne, mais du côté de chez toi Bruno.

C'est moi qui ai demandé à te rencontrer. Toi, tu aurais pu vivre sans jamais me parler. Je t'ai écrit une lettre à la mairie du village, adressée à Monsieur le Maire : « Cher Monsieur, j'aimerais beaucoup vous rencontrer afin de discuter avec vous d'un projet qui me trotte dans la tête. » Quel était ce projet profond quand j'écrivais cette lettre, je ne le savais pas encore.

Je marche à côté de toi. Le bout du parc se termine par un mur surélevé. Il correspond au fond du garage des camions qui livraient la farine. Soudain, sans que tu le saches, je viens de pousser sa gigantesque et lourde porte coulissante. Je respire intensément l'odeur d'essence des véhicules, mêlée à un diffus parfum de farine. C'est cela ma nouvelle vie, Bruno : te regarder, toi qui me souris, être à côté de toi alors que je suis traversée d'incessants souvenirs qui se sont passés de l'autre côté. Là, juste derrière le mur.

Tu montes le perron. Je te suis. Nous entrons dans la cuisine. Ta femme est assise à la table avec une amie. Nous nous saluons. Je suis déçue que tu sois marié ; je me dis immédiatement qu'il y aura toujours un empêchement entre nous. Quand j'ai cherché à te rencontrer, dans une sorte de fantasme fulgurant, je nous voyais amoureux, alors même que je ne connaissais pas ton visage.

Une fois, je t'ai vu. C'était un soir de juin, il y a sept ans. Ce sont les feux de la Saint-Jean. Je suis invitée à une table sur la place de la fête. Je viens de faire l'acquisition d'une maison, mais dans la commune voisine. Je me sens apatride. On me désigne le maire. C'est toi, joyeux et maladroit, timide et mutin, tendant sans grande conviction un sac à provisions plein à craquer à qui veut bien le soupeser. Tu cherches un amateur pour deviner le juste poids du filet.

Dans mon souvenir, réel ou reconstitué, tu me le tends, très brièvement mais suffisamment pour qu'aujourd'hui j'aie l'impression que tu cherchais à entrer en contact avec moi. Mais moi je ne le voulais pas. Donc je ne te regardais pas, mais je te sentais. J'étais l'exilée, celle qui avait été ta petite voisine invisible.

Quelque temps plus tard, je t'ai également entraperçu, en passant en voiture devant ta mairie. Tu en sors, je sais que c'est toi, j'ai reconnu ta frêle silhouette, et il me semble que tu t'es retourné sur mon passage. J'ai remarqué comme les gens s'observent ici. Les piétons dévisagent les automobilistes et vice versa. Je crois que tu as tenté de me regarder, de savoir qui était celle qui roulait au volant de cette voiture. Et moi je me suis servie de mon rétroviseur pour faire de même, mais je n'ai pas distingué ton visage.

Maintenant, à tes côtés, je découvre ta cuisine. Tu me dis qu'elle est de la même époque que celle du moulin mais j'ai le souvenir, chez mes grands-parents, d'un carrelage caramel années soixante-dix, alors que les faïences de la vôtre sont plus raffinées, plus vieilles aussi. Peut-être me parles-tu seulement de la disposition générale sur un seul pan, le long du mur. Je te réponds que le vieux manoir à côté de chez toi, à l'opposé du moulin, possède aussi cette configuration de cuisine. Je te dis cela pour te surprendre et que tu m'interroges sur les raisons de ma connaissance du manoir. La bourgeoise narquoise en moi se trémousse. Je t'explique que j'ai visité cette maison quelques années auparavant. Mon compagnon et moi cherchions une belle demeure familiale, pour les enfants, et pour moi aussi, pour que j'aie l'air plus épanoui. Retourner dans le village de mon enfance était la solution salvatrice. Le renouveau de l'amour nous y attendait peut-être aussi.

– Nous aurions encore été voisins, me dis-tu en souriant.

– Et je me serais présentée contre ta liste aux élections municipales.

Je souris à moitié. Je sais que je l'aurais fait. J'ai un air de guimauve mais une farouche obstination.

Je l'aurais fait, pour perpétuer l'histoire de nos familles respectives.

Mais le destin nous a protégés. Je me suis installée, et

23

seule avec mes enfants, dans la commune voisine, à l'orée de ton village qui fut le mien.

Petite, je n'allais jamais jusqu'au lieu où j'habite aujourd'hui, bien qu'une piste cyclable aurait pu m'y conduire en filant tout *droit*. Je faisais toujours demi-tour juste avant la pancarte désignant mon village actuel. Ma famille et moi allions y déjeuner deux fois l'an, dans un restaurant au nom très mystérieux de *L'Auberge de la clef perdue*. Ce que j'aimais, c'était monter aux toilettes du premier étage et observer de la fenêtre ouverte ma propre famille installée dans la cour, les autres tablées, le va-et-vient de tous les occupants. Un épais gravier tapissait la cour intérieure sur laquelle étaient installées les tables en fer forgé. Le crissement des cailloux compressés sous les pieds des lourdes chaises, sous les pas des clients, des enfants turbulents et des serveurs affairés, remontait jusqu'à mon poste d'observation et résonnait contre la faïence du carrelage dans un tumulte rassurant d'éternité. Ce moment bienheureux, hors de la vie du moulin, cet exil coquet, contribuait aussi à la réjouissance : la joie du voyage résidait dans la certitude du retour. Ce village semblait si loin de notre univers que mon grand-père sortait, pour l'occasion, son Ariane grise, aux banquettes basses et molles, recouvertes d'un épais nylon de couleur rouge. Son odeur d'essence et de poussière confondues me grisait. Nous partions pour *la clef perdue*. Nous partions très loin. Deux kilomètres.

Aujourd'hui, c'est le même panneau annonçant le village où se trouvait le restaurant prisé qui me signale que je rentre chez moi.

Je te dis, cher Bruno, alors que nous nous installons autour de la table du salon, près de la cheminée aux flammes généreuses, face aux larges fenêtres qui donnent sur ton jardin, je te précise que je suis venue vers toi parce que je suis passée à vélo, il y a quelques semaines, sur *le chemin vert*, celui qui relie ta maison à celle de mon enfance. C'est quelque chose que je fais facilement, depuis que j'ai *mon chez-moi*. Je peux retourner au village et surveiller ce qui s'y passe, à la manière d'un garde champêtre anonyme. J'ai besoin de savoir si tout va bien *chez vous*. Et qui fut *chez nous*. Ce jour-là j'ai freiné et j'ai regardé frontalement nos maisons pour écouter les bruits du passé. Ils vinrent à moi, par ordre d'intensité sonore : d'abord le cyclone du moulin, une sorte d'aspirateur géant qui grondait sans discontinuer derrière la bâtisse, du lundi matin au samedi midi. Puis le torrent plus ou moins grondant selon les nécessités de la turbine, les vitres de la façade du moulin qui tremblaient excessivement, prêtes à imploser sous les vibrations des courroies de cuir, entraînées vivement par l'énergie mécanique du cylindre. Les larges bandes emportaient le grain de blé, livré dans un nuage de poussière beige et de bruissement de perles, secoué sur les tamis, acheminé sous la meule sacrificielle et réduit en farine, poudre compacte déversée ensuite dans les énormes sacs en toile de jute. La cour pavée vrombissait elle aussi des allées et venues des camions passant le porche, à côté du torrent lâché et réjoui, qui avait accompli son devoir, qui avait donné toute sa puissance pour moudre le grain. Ces mêmes camions envoyaient vers ta maison, Bruno, les grondements de leurs grosses roues laborieuses, narguaient votre gîte encore endormi, ses hôtes chics et intellectuels qui s'étiraient gracieusement, sortis du sommeil par quelques gammes de piano. Ils ouvraient un œil sur une lecture raffinée, attendant eux aussi leur brassée bruyante de famille et d'amis venus au volant de leurs belles voitures parisiennes.

Oui, Bruno, voilà pourquoi je t'avais écrit. Pour te demander où étaient passés tous ces bruits. Du tumulte, il ne reste aujourd'hui que celui du torrent. Mais il semble étranglé lui aussi. Les deux maisons sont éteintes. Comment ce moulin, qui fut si grand, si productif, pouvait-il être si rabougri, si patiné, devenu un décor pour les randonneurs du dimanche. C'est pour cela que je t'avais écrit. Pour te demander : Pourquoi ? Pourquoi le temps, en prenant tout son sens, le perd du même coup, devenant aussi dérisoire que le visage d'un vieux beau.

Tu corriges ma pensée, tu la réajustes à la tienne, avec ta particulière hésitation qui fait remonter ta voix. Tu me dis que les maisons ne sont pas éteintes mais *apaisées*. Tu tiens à cet adjectif.

En attendant ma venue, tu lisais un livre de philosophie intitulé *Pensées chrétiennes et juives au xviie siècle*. Le recueil repose encore sur la table. Voilà. Je suis dans ta maison. C'est difficile à croire et aussi simple que cela : demander à te rencontrer et boire un café chez toi quelques semaines plus tard. Sonner à ta porte comme l'ont fait mon oncle, mes tantes et leurs parents. L'histoire pourrait s'arrêter là. C'est après que tout a commencé.
J'aperçois un beau piano demi-queue un peu plus loin dans le salon, sur lequel se dresse une grande maison de poupée. Je pose ma tasse de café pour aller l'admirer. Tout est parfait chez vous. *Vous avez tout bon.* Je suis dans votre maison, celle que mes yeux ne pouvaient même pas regarder à travers les grilles du jardin, tant l'interdit était fort. Je te le dis sans embarras : il y avait un veto posé sur votre famille, et je ne sais toujours pas si c'était votre famille qui l'avait imposé ou si c'était la mienne. Je n'ai aucun souvenir de quelqu'un dans ma famille me disant : *je t'interdis de regarder quoi que ce soit chez les voisins*.
Tu me dis toi-même que lorsque tu envoyais ton ballon de l'autre côté du mur, aller sonner chez mon grand-père pour le récupérer n'était pas une mince affaire. Il t'impressionnait, ce grand-père, mais tu penses que

l'histoire agissait sur toi autant que la vision de cet homme t'ouvrant sa porte.

Je me souviens assez bien de mon grand-père. Quand nous arrivions le samedi en début d'après-midi, je venais l'embrasser alors qu'il était assis à son bureau, poudré de farine qui le rendait encore plus blanc et plus vieux. Peut-être était-ce de la farine qui ne partait plus, qui était incrustée dans le grain de sa peau. Il faisait ses comptes sur sa calculatrice à rouleau de papier. Il avait peu d'entrain. Je croyais qu'il ne s'intéressait pas à moi. Aucune joie ne se dégageait de ses yeux quand il me voyait. Maintenant, je sais que les affaires marchaient mal et qu'il était vraiment très vieux sous son masque blanc. La bouche de mon grand-père était charnue. Il avait une tache violette sur le côté droit de sa lèvre inférieure, sans doute les petits cigares qu'il posait précisément là avaient-ils épaissi la chair tendre. Je fixais avec appréhension cet endroit, alors que nous approchions nos visages l'un de l'autre pour le baiser rituel. Aujourd'hui, je remarque que certains jours, la même petite tache apparaît sur ma lèvre.
Un samedi, je suis à côté de mon grand-père. Je dois avoir douze ans. Il est affaibli et il a un bassin près de lui qu'il renverse par inadvertance. Ma grand-mère découvre l'accident ; mon grand-père me désigne et murmure : *c'est la petite*. Je suis estomaquée qu'il m'accuse. C'est pour cela que je me tais. Non pour le protéger ; mais

28

parce que je n'en reviens pas. Je me dis que, décidément, mon grand-père et moi n'avons aucune affection particulière l'un envers l'autre. Je pense, aujourd'hui, qu'il avait peu de force pour se défendre de sa maladresse ni même pour s'en excuser. Son incontinence lui était abjecte. *C'est la petite.*

Une autre fois mon cousin et moi faisons exprès de confondre la chanson des sept nains dans *Blanche-Neige* de Walt Disney avec l'air de la Wehrmacht. Nous nous faisons gronder immédiatement. Par mon grand-père sans doute, mais je n'en suis plus très sûre. On nous dit qu'il ne veut plus rien entendre qui fasse allusion à la guerre. Qu'il ne veut plus en parler non plus. Cela devient un autre tabou, comme celui de regarder la vie des voisins, de l'autre côté du mur.

Je me souviens que mon grand-père savait rire. Il riait en silence, longtemps, une joie contenue jusqu'au bord des yeux et qu'il comprimait, contrairement à ma grand-mère qui riait de façon très sonore en essuyant des larmes à chaque éclat. C'est cela qui se passait aussi dans cette maison. Ça riait beaucoup.

Il y avait également une langue propre à ma famille, des mots qui faisaient rire, des mots saugrenus, des expressions inventées, improvisées, qui ne se disaient que chez nous et qui faisaient pleurer de joie. Le moulin avait son propre langage.

Pourtant Bruno, alors que notre famille était plutôt joyeuse, au cours des longs soirs d'été, j'entendais aussi les rires de ta famille et j'étais convaincue que ce qui se disait chez vous était plus drôle. Parfois, je me demandais même si vous n'étiez pas en train de rire de nous. Aujourd'hui, à te découvrir, Bruno, avec ton air espiègle d'éternel jeune homme, même si parfois d'étranges nuages traversent ton regard quand tu me fixes, je me dis que nos familles auraient bien ri ensemble, elles qui savaient si bien le faire chacune de son côté. Le rire est le propre de l'homme, ai-je lu dans mon premier livre de philosophie. Étant aussi le propre de nos familles, pourquoi n'ont-elles plus ri ensemble ?

Un jour, ma mère me dit que quelqu'un de ta famille enseigne la philosophie dans la ville où nous habitions la semaine, en dehors du moulin, et où nous avons continué de vivre après sa vente. À entendre ton nom prononcé par ma mère, il semblerait qu'on ne puisse pas s'empêcher d'avoir des nouvelles vous concernant. Ce professeur, c'est toi. À ce moment-là, j'ai seize ans, mon cœur bat vite et je me demande si je serai ton élève. Mais non. Un enseignant, venant de Paris lui aussi, hautain, et qui nous appelle par nos noms de famille de façon sèche et amère, me donnera vaguement le goût de l'effort philosophique, avec un compliment vaseux mais flatteur dont je profiterai quand même. Cet homme possède une sorte d'énergie sexuelle, à mes yeux en tout cas. Quelque chose de sensuel et de méchant à la fois. Un regard froid et dépité. Un regard parisien. Je me demande si tous les professeurs parisiens sont comme lui. Si toi aussi tu es comme cela, si ton grand-père l'a été aussi. Si c'est pour cela que nos familles ne se sont plus parlé. À cause de cette suffisance parisienne. Ce professeur qui fuyait notre ville à grands pas vers la gare, sa bouche écœurée enfouie dans son écharpe de cachemire, pour rejoindre la capitale, pour rejoindre les siens, n'était-il pas une de vos relations dans votre cercle fermé d'intellectuels ? N'était-il pas tes amis ? Peut-être vous donniez-vous rendez-vous à la cafétéria ventée de la gare, solidaires, pour dégager au plus vite de ce trou. Comment même aviez-vous pu y être mutés ? Quelle erreur aviez-vous commise, quelle faute grave, impardonnable, quelle disgrâce subissiez-vous pour venir trois fois par semaine dans cette ville grise, dans ces bars gris à travers les vitres desquelles nous suivions de nos yeux gris notre professeur de philosophie parisien et sexuel ?

Quand je regarde tes yeux tendres, Bruno, je me demande à quels élèves amoureux de ton savoir tu as pu prodiguer tes connaissances. Comme j'aurais aimé t'écouter en classe et être ta bonne élève. Tu me précises aujourd'hui que tu enseignais à l'université. Alors que j'allais entrer au lycée, j'avais demandé à mes parents de m'inscrire là-bas, parce que j'y pratiquais le tennis et qu'il y avait de grandes pelouses sur lesquelles les étudiants s'allongeaient comme dans les campus des films américains. À défaut de ne plus jamais vivre dans le moulin de mes grands-parents, ces pelouses auraient pu réparer un tant soit peu mon rêve de liberté. J'aurais pu, moi aussi, traverser le gazon frais, pousser la porte d'un bâtiment en contreplaqué et écouter tes leçons, car bien évidemment, là-bas, tu aurais été mon professeur. Je serais venue te voir à la fin d'un cours, alors que tu te préparais à filer à la gare rejoindre ton collègue prétentieux. Je t'aurais approché et je t'aurais confié soudain combien le moulin me manquait, combien cette vie d'avant, cette vie de mon enfance me hantait chaque nuit, et comme je revisitais, pour m'endormir, chaque pièce, chaque objet, chaque odeur de la maison familiale. Peut-être aurait-ce été seulement dans tes bras que j'aurais pleuré la mort de mon chien, alors qu'il m'a fallu attendre mes quarante ans pour verser des larmes sur sa perte. Je t'aurais aussi raconté un rêve que j'avais fait, car bien sûr nous serions devenus amis, un songe dans lequel le moulin devenait une cathédrale, ornée sur sa façade principale d'une immense rosace ; et tu m'aurais appris, alors que je n'en savais rien, qu'un maître verrier avait bel et bien racheté le moulin pour y créer et y restaurer des vitraux d'église.

Bruno, j'ai l'impression que je me suis construite justement parce que je ne t'ai jamais rencontré avant aujourd'hui. J'ai grandi avec la perte du lieu sacré de mon enfance, mais également à cause, contre et grâce au mur coupant ton jardin de mon Éden.

Ce que je sais depuis l'enfance, c'est que ta famille est juive.

Je ne sais pas qui me l'a dit, ni quand, je ne savais même pas ce que cela signifiait *être juif*, mais je suis convaincue que cette interdiction jamais nommée, cet empêchement de vous connaître, d'être séparée de vous par le mur, et cet autre élément majeur, que vous étiez juifs, n'ont fait qu'amplifier l'idéal que vous représentiez pour moi : des Parisiens, des personnes aisées, des intellectuels, des gens chics qui avaient en plus le goût suprême d'aimer notre village : vous étiez mon absolu fantasme.

Je te regarde Bruno. Parfois tu caresses la main de ta femme qui est venue se joindre à nous. Je te dis que les gagnants de cette étrange histoire, aujourd'hui, c'est vous. Tu souris, tu hoches la tête. J'insiste. Tu vis encore dans la maison familiale, tu as soixante ans, tu es maire du village, tu vis aussi à Paris, tu as une grande famille, des petits-enfants que tu adores, des enfants dont tu es extrêmement fier. Et moi, je bois un café chez vous, à dix mètres du mur qui me sépare de la vie heureuse stoppée il y a plus de trente ans, perdue non seulement pour moi mais aussi pour un grand nombre des membres de ma famille.

Je pense aussi que mon sentiment de convoitise s'est déployé comme un lierre sur le mur mitoyen. Je vois chez vous ce que je n'ai jamais construit moi-même :

un foyer. Dans une belle maison. Avec un beau jardin. Dans un beau village.

Je rêve régulièrement du père de mon fils. Non que j'en sois encore éprise, mais dans mes songes, je continue avec lui ce que nous avions ébauché ensemble : être au plus proche de ce à quoi vous ressemblez aujourd'hui. Dans mes nuits, je continue la réparation. C'est avec cet homme que j'ai visité deux maisons dans notre village. Ce qui m'étonnait à l'époque et qui me pinçait le cœur comme une véritable alarme, c'est qu'il ne voulait rien connaître, rien voir de ce lieu chéri : ni le moulin de mon enfance, ni les rues, ni les bois, ni les champs, ni la rivière. Il mesurait, de son regard, sans l'ombre d'une nostalgie, les maisons visitées, leur parc ou jardin, et évaluait ce qu'il pourrait y vivre. Il étudiait les lieux et comparait en silence ce qu'il avait sous ses yeux avec ses propres aspirations. C'est ainsi qu'il finit par me voir. Voilà pourquoi nous nous quittâmes. Plus rien ne correspondait à ses attentes. Aujourd'hui je peux bien le comprendre, moi qui ai passé ma vie à rechercher ce que j'avais perdu. Je peux comprendre cet homme qui voulait ce qu'il n'avait toujours pas trouvé.

Je te dis, Bruno, que mon fils n'aime pas notre village. Il a tenté de jouer sur la place avec d'autres enfants, comme le faisait mon père, ou ton père, mais il s'est vite lassé. Il trouvait que les gens le regardaient trop bizarrement. J'ai le sentiment que cet enfant véhicule les deux inconscients de ses parents. L'un qui n'a que faire de la poésie des champs de blé, et l'autre qui se sent apatride sur le lieu même de son enfance. Moi aussi je trouve que les gens me regardent bizarrement mais je sais que ça ne vient que de moi. Je suis celle qui n'a pas réussi, ni dans son village, ni réellement dans son métier d'actrice, ni dans les foyers qu'elle a tenté de construire sans conviction.

L'autre foyer que j'ai manqué, cher Bruno, c'est celui que j'ai essayé de créer avec John, le père de ma fille aînée. J'avais vingt-quatre ans. J'avais quitté notre village dix ans auparavant, ce qui, à l'échelle du temps qui passe, est vraiment bien peu. Je sortais presque de l'enfance. La première fois que je l'ai rencontré, j'ai été frappée par sa démarche large et lourde qui me rappelait celle d'un ouvrier de mon grand-père, émigré italien dont les grosses chaussures de travail accentuaient l'allure masculine. À John, j'ai montré le moulin. Mais je ne lui ai pas parlé du mur mitoyen parce que je n'avais pas encore fait ressurgir ce qu'il cachait en moi. C'était un malaise auquel je n'avais pas accès. Je ne savais pas l'impact qu'il avait eu sur ma vie.

Une fois, il y a longtemps de cela, je vis en Amérique depuis quelques mois et John ne va pas bien. Il entame une phase hostile que je ne lui connaissais pas. Son père vient me chercher à la maison car j'ai peur. Dans la voiture, nous traversons le quartier orthodoxe juif de Brooklyn. Le père de John me dit : « J'aime ces gens, ils ont un vrai sens de la famille. » À travers les fenêtres, je regarde les habitants, habillés de noir de manière identique pour les hommes, avec quelques très légères variantes pour les tenues féminines. Ils déambulent sur le trottoir ou s'affairent autour du jardinet de leurs maisons. Les enfants sont nombreux. Je m'interroge sur leur dévotion au foyer familial.

Je me souviens aujourd'hui qu'au début de ma vie américaine, j'avais acheté une menora chez un antiquaire, sans savoir que ce chandelier était un objet religieux juif. J'avais pris également, un soir d'hiver, des petites assiettes en carton avec l'étoile de David imprimée en leur centre. Elles étaient en vente dans une papeterie pour les fêtes de Hanoucca, la bénédiction des Lumières, une tradition que j'ignorais aussi. Je les avais trouvées très jolies et j'étais sensible à l'emblème du roi David. Il m'attirait. À New York, je devins amie d'une vieille dame russe lors d'une soirée donnée à l'alliance française. Nous dînons de temps à autre, cette femme et moi, dans le même restaurant de l'Upper East Side, son quartier. Il ne me vient pas à l'esprit de l'inviter dans le mien, à Brooklyn, dont j'ai honte. Je lui parle de mon amour pour John et de la difficulté à vivre avec lui. Je ne parle que de cela. Un soir, elle me dit avoir rencontré son mari dans un camp de concentration. Elle rit. Elle a un air énigmatique. Puis elle se penche vers moi afin de m'encourager : il ne faut jamais oublier que les hommes sont des enfants. Cela ne me rassure qu'à moitié car

John me confie souvent qu'il se sent comme un petit garçon, et sitôt qu'il me le dit, je prends peur. Un soir, elle me montre son tatouage de camp d'internement, à Birkenau. Elle sourit en hochant étrangement la tête. Ce qu'elle aime par-dessus tout dans sa vie de vieille dame, c'est faire ses courses au milieu de la nuit et pousser son caddie à travers les allées des supermarchés, surchargées d'articles à profusion.

Pour décorer notre maison, à John et à moi, j'achète des rideaux dans le Lower East Side de Manhattan. Un vieil homme déploie sous mes yeux les différentes étoffes. Dans un geste automatique, il révèle le numéro de camp à l'intérieur de son bras. Les larmes me montent immédiatement aux yeux.

Je pense que c'est à New York, loin de ma famille, que je me suis permis d'être traversée par des émotions quasi permanentes, parfois trop fortes pour moi. Un après-midi, je suis seule, avec d'autres rares spectateurs dans un cinéma de Manhattan, à regarder un documentaire sur le ghetto de Varsovie. Dans la pénombre, de vieilles personnes chantonnent des airs traditionnels qui accompagnent le film. Parfois elles crient des injures dans ce que je pense aujourd'hui être du yiddish. Et moi je suis avec eux, parmi eux. Qu'est-ce qui m'a poussée, au cœur de Brooklyn, à lire le journal et me décider à prendre le métro pour aller voir ce documentaire et pleurer dans la salle avec les autres ? Je ne sais pas.

Un dimanche matin, John et moi marchons à travers le marché russe de Coney Island. John veut acheter un manteau matelassé blanc cassé qui lui évoque un dessin de propagande bolchevique. Cela m'agace tout de suite. Je pressens dans l'énergie électrique qu'il dégage qu'il est en train de se déphaser. Mais je suis encore ignorante de l'importance de sa souffrance. Il m'exaspère et puis c'est tout. S'ensuit un déjeuner dans un restaurant irlandais. John lit les journaux et s'énerve tout seul. Je mange à peine les petites saucisses blanches traditionnelles des breakfasts irlandais. John ne lève pas le nez de ses journaux. Il sait aussi que cela ne sert à rien de partager ses opinions avec moi, que je m'en fiche, et qu'au contraire, s'il est pour quelque chose, je serai automatiquement contre. En silence bien sûr. Car je le crains. Dans ma tête, je défile avec les protestants irlandais. Les catholiques sont des désœuvrés incultes et, avant tout, je hais l'IRA. Dans le restaurant, nos oppositions étouffées nous mettent en état de tension. Dans la voiture, sur le chemin du retour, le ressentiment de nos deux solitudes est suffocant. Le désir physique est d'autant plus fort, d'autant plus réconciliant.

Notre quartier ouvrier de Brooklyn me révulse. Je veux déménager. John, par conviction politique, veut rester dans ce dortoir prolétarien. Je rêve d'une vie comme la vôtre, Bruno, et je ne l'ai toujours pas. Je m'impatiente. Parfois, pour m'extraire de la maison exiguë et de notre rue triste, je visite des maisons à vendre, dans le quartier bourgeois de Park Slope. Je m'y sens bien. Lorsque je suggère à John de quitter notre nid sinistre, il refuse catégoriquement. Il ne veut pas, assène-t-il, rentrer dans mon jeu infernal. Puis il me lance les clefs de la voiture et me dit :

– Quand tu sauras tenir un volant, tu ne penseras plus à tes petits quartiers gnangnan. Tu verras grand.

La conduite m'effrayait. Nous étions entourés d'avenues sur lesquelles les voitures roulaient à très vive allure. Pour quitter ces artères, il fallait prendre les voies express qui étaient encore plus affolantes, s'élancer sur elles comme on se jette à l'eau. J'en étais incapable. De notre jardin, je pouvais entendre le grondement des voitures, incessant de nuit comme de jour. Je me sentais encerclée, prisonnière de la vitesse des autres.

J'ai conduit une seule fois, au beau milieu de la nuit, de Manhattan à Brooklyn. C'était un soir où John, lassé de ses élans révolutionnaires qui n'intéressaient personne, avait trop bu pour rouler droit. J'avais dû prendre moi-même le volant. Les avenues et le pont de Brooklyn étaient déserts. Je me souviens encore de la stridulation des roues de la voiture filant sur les plaques métalliques du pont, puis de celui gras, onctueux, du caoutchouc sur les pavés, le long des docks. J'étais grisée par la vision de ces rues vides, de ces usines gigantesques et blafardes, aux vitres cassées, avec dans mon dos la silhouette de la statue de la Liberté. Ces décors cinématographiques permettaient à mon imagination de s'exalter, le temps de ma liberté nocturne. Je réinventais, dans mon film intérieur, les brassées d'hommes et de femmes tout juste passées par Ellis Island et déferlant sur les quais, cherchant déjà de quoi se nourrir, comment faire leurs lendemains plus prospères. John, la tête contre la vitre, endormi profondément, me contraignait à la liberté. J'en éprouvais une joie et une fureur intenses.

Un automne, je suis de passage en France. Pour une émission de télévision qui m'est *consacrée*, un groupe de caméras et de journalistes est venu sonner chez les nouveaux habitants du moulin. L'équipe a reconstitué les saynètes éventuelles que, petite fille, j'aurais pu créer avec mes poupées au bord de la rivière, sur l'herbe fraîche, à l'ombre des arbres. Tout cela a été « commandité » par mes parents qui pensaient me faire plaisir. Lorsque je découvre le reportage, en direct, au cours de l'émission, je ne peux plus parler. Je ne savais pas encore moi-même à quel point le manque de cette vie-là était fort. À cette époque, John m'a suivie à Paris avec notre petite fille. Il a vu l'émission. Il me répète avec insistance qu'il sait exactement ce que je ressens et je le crois, bien que sa sincérité m'irrite de plus en plus souvent. Je ne veux plus vivre avec lui. Notre amour m'a rendue terriblement maigre. Je suis bouleversée par cette émission qui m'a rappelé ce que je n'ai toujours pas réussi à recréer, éreintée par cet homme et son charisme anarchique. Je veux le calme. Sans vouloir lâcher la volupté. Je veux savoir si l'un peut cohabiter avec l'autre, si la volupté n'existe que lorsque le calme est absent, ou si c'est le calme qui éteint la volupté. Je veux aussi un deuxième enfant, mais le foyer que j'ai conçu avec John me semble sans issue viable.

Alors j'ai rencontré un autre homme. J'ai pensé qu'avec lui, je pourrais vivre la vie désinvolte et feutrée. Il semblait pragmatique, constant, amoureux, joyeux, insolent. Et il me voulait, moi. Il voulait une famille avec moi. Comble de tout, il était juif. Le premier cadeau qu'il me fit était le livre de Martin Buber qui s'intitule *Judaïsme*. Je l'avais interprété comme une invitation clairement accueillante. Comme l'autre cadeau qu'il me fit ce même soir était une boîte d'éclairs au chocolat au nombre de huit – ce que je traduisis immédiatement par *une fois par jour et 2 fois le dimanche* –, j'en conclus que j'aurais tout pour être heureuse. L'image du rêve se faisait de plus en plus nette.

Quand je tourne les pages des albums photo consacrées à la circoncision de notre fils, une chose me frappe : je resplendis comme s'il s'agissait de mon propre mariage. OUI, j'épouse quelqu'un, ou plutôt quelque chose, c'est flagrant. Mon fils m'a dit récemment qu'on lui avait raconté que je pleurais pendant la fête. Je ne m'en souviens pas, et sur les photos, il n'y a aucune marque

de chagrin sur mon visage. Je réponds à mon garçon :
« Si je pleurais, cela ne pouvait être que de joie. » C'est
en te parlant de cela, Bruno, que je réalise que, même
à travers mon garçon, j'ai encore essayé de me rapprocher du mur mitoyen.

Mais là, devant toi Bruno, je n'ai toujours pas accès à
cette blessure. Je n'en connais pas la teneur.

Je reprends notre conversation.

Je me suis égarée, emportée par les souvenirs. Je peux
les revivre instantanément, et là, devant les vitres de
ton jardin, j'étais encore allongée sur le lit pourpre de
la maison de Brooklyn. J'écoutais John chanter sous la
douche et je l'attendais.

Je reviens au jour où, passant à vélo, j'ai confronté
d'un seul regard les deux maisons, la tienne et celle
du moulin. Et c'est ce jour-là que j'ai décidé de te
rencontrer.

Maintenant je te l'avoue : juste avant de freiner, des
éléments autres que le silence des deux bâtisses avaient
attiré mon attention. À l'entrée du moulin de mon
grand-père, une plaque fraîchement posée par le conseil
régional raconte mollement, pour les promeneurs du
dimanche, l'histoire de la bâtisse : « Moulin depuis le
XIIe siècle, il fut actif jusqu'en 1978. La famille Brochet,
originaire de l'Ouest, s'y installe en 1922. Producteurs de
la dernière farine dite artisanale. Aujourd'hui habité par
un maître verrier. » Passant le petit pont, je file vérifier

si votre famille a bénéficié elle aussi d'une nouvelle plaque au bout de la ruelle, celle qui a été baptisée du nom de ton grand-père depuis les années quatre-vingt – *depuis l'arrivée des tontons au pouvoir*, diraient certains membres de ma famille, ceux-là mêmes qui s'obstinent comme moi à appeler cette petite route goudronnée *le chemin vert*. Effectivement, au bout de celui-ci, comme en regard de la fraîche plaque du moulin, je découvre une nouvelle plaque métallique en l'honneur de ton grand-père, « maire du village de 1932 jusqu'en 1940, révoqué cette même année par le gouvernement de Vichy. Il devient président du Comité de libération en juin 1944. Il est aussi créateur d'un grand festival de cinéma. Homme illustre, brillant et admiré ». Bref, ton grand-père a encore tout bon.

Sur le chemin de ma nouvelle maison, pertubée à tel point que je pédale en danseuse, je commence à imaginer la lettre que je vais t'écrire pour te rencontrer. Je passe devant une belle demeure de villégiature, habitée par un couple sexagénaire dont la femme connut ma famille. C'est elle qui me dit un jour, au cours d'une conversation amicale, partageant avec moi un café, que mon grand-père avait été « un pétainiste, comme la majorité des Français durant la guerre ». Quand elle m'apprend cela, je n'ai pas de réaction. Les souvenirs que j'ai de lui, outre sa calculette, ses rires silencieux ou l'incident du bassin, sont ceux d'un vieux monsieur qui dort à la porte de son moulin, collé à lui comme une seconde peau, qui se lève à cinq heures du matin, qui boit un petit verre de vin blanc à neuf heures tout en étudiant minutieusement à l'aide d'un système d'éprouvette la consistance de la farine qu'il livrera aux boulangers de la région. Autour de lui, nous, ses petits-enfants, attendons avidement la fin de la cérémonie pour nous partager la boule de farine lourde, molle et fraîche, avec laquelle, au bout du compte, nous ne ferons rien. Mais nous voulons, chacun à notre tour, sentir son poids au creux de notre main.

Sur la plaque du moulin, aucune allusion à sa qualité de maire de village. Il l'a pourtant été, pendant plus de vingt ans. Et ce, dès l'Occupation. À la demande du gouvernement. Rayé des guides touristiques, le grand-père, oublié des plaques régionales légèrement ampoulées et fraîchement posées à l'entrée des propriétés exquises, telles que : « Ici vécurent : un grand grammairien, un grand peintre, un grand résistant, un remarquable instituteur, un éminent caricaturiste, un illustre écrivain, une égérie télévisuelle, un sculpteur de renom, un producteur innovant. »

Tu me précises, cher Bruno, que ces plaques sont une proposition du conseil régional pour laquelle, effectivement, tu as donné ton aval. Tu le reconnais : à aucun moment tu n'as pensé à la qualité de maire de mon grand-père. Cela ne t'a pas traversé l'esprit. Pourtant, ces mêmes hommes illustres ont été gratifiés, à la création de ces nouvelles plaques, de leur statut de maire, s'ils l'avaient été en plus de leur immense talent. Suivant la logique des éloges, la plaque du moulin célébrant « *les Brochet*, producteurs de la dernière farine artisanale », aurait dû également honorer l'un d'eux de son rôle de maire de village. Comme les autres.

Mais non, mon grand-père a été maire sous Pétain. Il a été celui qui a pris la place du tien et qui ne la lui a jamais restituée.

Bruno, avant de prendre la mouche et de défendre l'honneur des fantômes, je me demande ce que j'aurais fait moi-même sous l'Occupation.

J'ai une nature obéissante. J'ai craint mon père et ma mère tout en faisant, au fond, ce que je voulais. Je ne suis pas altruiste, trop obsédée par mon monde intérieur. Je suis très crédule et vite d'accord afin de ne pas être confrontée à mes propres opinions, ou plutôt au fait que je n'en ai que rarement. Je ne sais rien de la politique mondiale, je ne lis plus de journaux depuis des années, je ne regarde pas la télévision et je ne supporte pas les voix radiophoniques. J'aurais donc pu, en 1940, ne pas être au courant de grand-chose. Par contre, j'aime qu'on me raconte des histoires de village, les conflits de voisinage, les branches d'arbre menaçant la toiture d'à côté, les bambous envahissants, les voitures mal garées, les faux Pères Noël suspendus aux façades des maisons jusqu'à Pâques, les susceptibilités déclenchées par une salutation matinale paresseuse et aussi les rencontres d'amour. J'écoute ces petites histoires pour épaissir la mienne. On peut s'intéresser au monde sans lire les actualités et aux gens sans être magnanime. C'est une position particulière mais elle n'est pas honteuse. En ce qui concerne la politique, je ne suis convaincue de rien mais j'aurais pu être une fervente supportrice de Jean Jaurès. Je ne passe jamais devant le café où il fut assassiné sans un pincement au cœur. Mais, alors même que j'ai horreur du conflit, j'aime les situations inconfortables. Dans ma vie amoureuse, les tensions me dévastent, mais je ne supporte pas la « convivialité » conjugale. Un amant, qui, par crainte de me froisser, ou par paresse, est trop souvent d'accord avec moi, perd vite son attrait érotique.

Alors non, je ne sais vraiment pas ce que j'aurais fait en juin 1940. Je ne suis pas sûre que j'aurais été une *Juste*. J'aurais peut-être dit, apprenant les rafles, *c'est terrible, mais que voulez-vous, c'est la guerre...*

Sauf que je suis née en 1966. J'appartiens à la génération de ceux qui ont commencé à entendre ce qui se révélait peu à peu, la mort par millions, pour des raisons qu'on peine à ranger dans sa tête, car, quand on essaie d'y réfléchir vraiment, il y a une impossibilité quasi métaphysique à comprendre. Alors on dit : *c'est terrible, mais que veux-tu, c'était la guerre... et puis... et puis... il n'y a pas eu qu'eux...* Quand on a dit cela, et cela précisément, *il n'y a pas eu qu'eux*, on cache, dans cette vérité factuelle, l'autre chose inavouable, toujours. Quand on rappelle *les autres* qu'*eux*, on veut surtout atténuer le vertige de ces *eux*, qui ont laissé leurs prénoms et leurs noms, par millions, gravés sur les mémoriaux de villes d'Europe. Car on ne peut pas se les fourrer dans la tête, tous ces morts. Le cerveau s'affole. Il n'y a pas de place, dans notre potentiel à aimer notre prochain, pour accueillir ces vies désintégrées. Il faut bien que cela reste supportable. Alors on fait diversion, avec un *il n'y a pas eu qu'eux*.

Dehors, il pleut. Je te raconte, Bruno : lorsque nous avons quitté le moulin pour toujours, sa vente a permis à mes parents de devenir propriétaire d'une petite maison en ville. J'ai découvert très vite que nos nouveaux voisins étaient juifs. L'histoire du mur se perpétuait. C'était une famille de musiciens. Gammes de piano et chants d'opéra traversaient les vitres qui donnaient sur la rue. Le fils aîné m'invita chez lui pour faire ma connaissance. J'allais avoir seize ans. Je rentrai pour la première fois chez des Juifs. Et ce fut cela : découvrir que leur cuisine était au même emplacement que la nôtre, nos chambres à coucher, leurs chambres à coucher. Pas une seule petite chose qui puisse me faire penser : *ah tout de même !*
Mon voisin et moi devenons vite amis. Nous nous voyons le jour et nous nous écrivons la nuit. Il m'éveille à la littérature, au cinéma, à la photographie. Je deviens son modèle. Je deviens belle aussi, dans son regard et dans

les yeux des autres jeunes hommes. Je suis aux aguets de leur approbation. J'ai envie d'être actrice. C'est une certitude. Je boude mes amies. Je me trouve bien plus mûre qu'elles, même si je n'ai toujours pas fait l'amour. Entre mon voisin et moi, il est si souvent question de cela dans nos conversations que je m'y perds. Comment peut-on parler d'amour et ne pas le faire ? Notre relation s'envenime immanquablement. Parfois je suis prise de fureur à son égard, et il ne comprend pas ce que je n'arrive pas à saisir moi-même.

Cher Bruno, que je regarde maintenant à contre-jour, non, je ne sais pas ce que j'aurais fait pendant la guerre mais si j'en crois le souvenir des rages récurrentes que j'éprouvais à l'égard de mon voisin, je pense que j'aurais peut-être regardé, dans l'angle sombre de la fenêtre de ma chambre, et non sans une certaine jouissance morbide, s'éloigner la fourgonnette des gendarmes français qui l'auraient sorti de son sommeil de jeune homme juif à l'aube d'un bel été 1942.

Bruno, j'ai vu le livre que tu as posé sur la table à mon arrivée. *Pensées juives et chrétiennes au XVIIe siècle*. Je fais comme si je ne l'avais pas remarqué mais, dans mon esprit, ce titre me saisit immédiatement. Autour de la table, il y a nos pensées juives et chrétiennes. J'ai été très croyante mais je ne me sentais pas catholique. Je n'aimais pas être assimilée à une communauté. J'étais embêtée d'entendre que seuls ceux qui croyaient en Jésus auraient la vie éternelle. J'étais réticente à la constante mise en avant des souffrances du Christ dans sa chair. Je ne comprenais pas non plus comment un père avait pu abandonner son fils. Les plaies sanglantes du Christ me dégoûtaient.

Le plus problématique dans mon esprit, c'était la figure masculine que le Christ et Dieu son père véhiculaient dans mon cœur de jeune fille, à travers sculptures et peintures d'hommes musclés, exaltant la virilité, même sous les traits de la souffrance. Le Christ sur sa croix était presque nu. Je l'observais sous toutes les coutures. Seul son sexe n'était pas visible. Les églises étaient les lieux parfaits pour étudier les nuances du corps masculin. Ces images ont mis une trentaine d'années à se dissocier de l'idée mentale que j'avais de Dieu : une image d'homme. L'amour que j'éprouvais pour un homme pouvait contenir à lui seul le sens de l'univers et la raison de ma présence sur terre.

Je ne comprenais pas non plus comment on pouvait ressusciter quand on était mort handicapé, très moche ou très vieux. Dans mon imaginaire, la résurrection des morts était une vision grotesque ; le réveil désarticulé de zombis Cro-Magnon, de Mongols du IIe siècle avant J.-C., de Papous du XXVIIIe siècle, de poètes romantiques à col jabot, mouchoirs parfum lavande sous le nez. Comment pouvait-on espérer comme vœu ultime une vision aussi épouvantable que la résurrection de la chair ?

Mais Dieu, Dieu unique, sans fils et sans saints, émotion pure et solitaire, puissant autant que fragile, sans visage, sans début ni fin, comme je l'aimais. Il m'accompagnait où que j'aille et quoi que je regarde au creux de notre vallée aimée, cher Bruno. Dieu aimait notre village. Il l'avait choisi lui aussi. Il était aussi bien le granuleux de la truffe de mon chien que les feuilles de saules pleureurs que je pêchais dans mon filet à crevettes, agenouillée à l'extrémité du lavoir. Il était l'odeur d'eau de Cologne et d'eau de Javel, le matin, dans la chambre de ma grand-mère. Dieu était Tout. Sous la table de la salle à manger, entre les pieds des convives sur les cuisses de ma mère quand le repas était trop long. Allongée dans l'herbe odorante et fixant le ciel, je me sentais aspirée par l'immensité de son amour, j'avais l'impression que ma force de gravité devenait de plus en plus faible, mon cœur s'accélérait, j'allais tomber dans l'infini de Dieu, c'était là, c'était maintenant. J'étais lui et Il était moi. Je vivais l'évidence permanente. Je ne pensais pas à mes parents comme à deux entités distinctes. Mes parents appartenaient eux aussi à ce grand tout. Dieu était dans les ronrons des tondeuses à gazon des jardins voisins. Il était dans la lumière floutée par les premières fumées d'automne que je fendais à vélo. Dieu était le véritable maire du village. Quand j'ai quitté le moulin, Dieu m'a regardée partir, j'avais quatorze ans. Je ne savais pas encore que je me dirigeais vers les hommes, et que j'attendrais toujours d'eux ce que je venais de laisser derrière moi. Je finis par perdre contact avec le monde et son créateur, et commençais mon nouveau culte : vénérer les hommes dans la crainte, souhaiter qu'ils me dominent, comme l'avait voulu Dieu après qu'Ève ait été chassée du paradis.

Pendant ma seizième année, ma classe et moi avons visionné, en cours d'histoire, dans une petite salle de projection, *Nuit et Brouillard* d'Alain Resnais. Les bulldozers poussent des monticules de corps squelettiques et nus. Les soldats de la Libération découvrent les camps de la mort et ce qu'il reste des vivants accrochés avec leurs doigts d'os aux grillages et tentant encore de rester debout sur d'autres bouts d'os encore joints les uns aux autres, on ne sait comment. Je dois sortir pour aller vomir dans les toilettes. Puis j'attends dans la cour. Je suis à l'époque possédée par des troubles de désir très difficiles à analyser, qui mettent mon esprit et mon corps dans un état de confusion permanent. Mon voisin juif participe vivement à mon état. Mais je suis également fascinée par un jeune homme d'un tout autre genre, sombre, solitaire, d'origine ouvrière, dandy punk oisif, qui ne me regarde pas ou alors pour me fixer quelques secondes puis rire avec deux ou trois jets d'air entre ses dents parfaites, tout en plissant exagérément le nez. Il est d'une famille communiste. Alors, oui, j'aurais éprouvé également une certaine satisfaction à apprendre qu'ayant pris le maquis, et lors d'une fusillade contre un groupe nazi, une balle l'avait touché en plein cœur, et qu'il en était mort, corps enterré que personne ne toucherait jamais et en présence duquel le mien palpitait de panique et de désir confondus. Dans mon état de transe permanente, j'accepte toutes les invitations pour être en présence de ce garçon. Pendant une soirée fatale – avec une bande dont fait partie le jeune homme –, j'assiste, craintive et soumise, au visionnage de *L'Exorciste* suivi d'un film pornographique dans lequel des hommes et des femmes s'imbriquent dans toutes sortes de positions. Les garçons et quelques rares filles rient beaucoup et repassent au ralenti quelques scènes de combinaisons sexuelles ou quelques moments, tout aussi insoutenables, du film d'horreur. Dieu, resté dans notre village, Bruno, me fait bien comprendre qu'il n'a pas l'intention de me venir en aide. Je rentre chez moi, effondrée : ma vie est foutue. Jamais je ne me remettrai de ces images. Ni des charniers des camps de la mort, ni de la petite fille, dans *L'Exorciste*, qui vomit vert, ni des scènes de groupes d'humains qui copulent en gémissant exagérément. Je viens de découvrir l'enfer. Je ne dors plus. L'humanité devient ma propre honte. Je l'endosse du matin au soir. Chaque nuit j'ai peur d'être brusquement possédée par Satan, chaque nuit je vois les corps nus poussés par des bulldozers, chaque nuit je me demande aussi si la vérité de l'amour, c'est de pousser des cris entre amis.

Ce que ton grand-père n'a pas supporté, me dis-tu, à son retour au village, en octobre 1944, c'est qu'on ait dérobé son piano. J'imagine que le beau piano demi-queue aperçu dans votre salon remplace celui qui a disparu pendant la guerre.

Depuis quelques années je possède moi-même un piano noir et droit, un Gaveau. Je l'ai acquis sitôt que je me suis installée à l'orée de *notre* village. Dans mon enfance je ne prenais pas de leçons de piano mais, dès que nous arrivions au moulin, le samedi en début d'après-midi, je filais au premier étage, dans la *chambre du piano*, où l'instrument, un Gaveau, semblait s'être assoupi toute la semaine pour se réveiller à mon retour. Il déployait, comme des ailes trop longtemps repliées, ses cordes métalliques. Je devenais, face à des centaines de spectateurs dont les motifs du papier peint mural simulaient la présence physique, une grande compositrice-interprète. J'aimais les accords graves et menaçants puis j'allais clapoter du bout des doigts sur les notes aiguës. Le milieu ne m'intéressait pas. Je passais un bon moment à composer d'étranges airs aux sons dissonants que, plus tard, je reconnus, à mon humble mesure, chez Ravel ou Debussy. Je ne doute pas un seul instant que ces grands artistes auraient aimé notre village, cher Bruno, le village des accords qui frottent l'oreille. M'offrir un Gaveau, c'était réparer aussi cela : la perte du piano du moulin, aspiré comme tant d'autres objets, au passage des antiquaires et des brocanteurs, à la vente de notre maison.

Tu déroules sous mes yeux une photocopie que tu avais préparée pour ma venue. C'est un cliché pris le jour de l'investiture de ton grand-père en 1932. Il marche, au premier plan, souriant, grosse moustache carrée de l'époque. Derrière lui, des compatriotes réjouis l'accompagnent : son conseil municipal. Je te montre du doigt mon grand-père à la même grosse moustache qui rit aussi. Tu ne savais pas que c'était lui. On ne te l'a jamais dit alors que l'original de cette photo est encadré juste au-dessus de ton bureau de maire depuis 1996. On ne t'a pas pointé du doigt cet homme pour te dire : « C'est lui ! c'est Brochet ! c'est le traître ! » L'homme qui a pris la place de ton grand-père, qui a profité de son absence, qui a été votre voisin durant des décennies, tu ne connaissais pas son visage.

Maintenant je gratte le fond du café que tu m'as offert, assise à ta table, à l'intérieur de ta maison. Je ne sais toujours pas ce que je suis venue chercher. Parler. Comprendre. Tenter de cerner un peu mieux l'histoire, tout au moins la mienne. Être chez toi, c'est regarder le dos de l'absence. Considérer ton côté, c'est deviner l'invisible du mien.
Toi, tu sais pourquoi tu es ici. Moi non. Je suis celle qui est maintenant de l'autre côté du mur. Je ne veux pas rentrer chez moi et pourtant bénéficier de la douceur conviviale de ta maison ne m'intéresse pas. Je veux retourner au début de l'histoire, en 1924. Je veux

réanimer les corps évaporés de nos grands-pères, enterrés dans le cimetière du village, sur le flanc du coteau,
plein nord, au bout de la petite route à gauche, juste
avant la mairie.

Georges et René, nos grands-pères, sont venus s'installer
dans le village quasiment au même moment. Dans les
années vingt du siècle dernier. C'est d'abord René et
sa femme Yvonne qui ont acquis le moulin. La maison
mitoyenne – seul un verger et un ru la séparaient du
moulin – était elle aussi à vendre. Le propriétaire de
l'époque possédait le moulin, la maison adjacente, de
briques rouges, et celle plus résidentielle, aux pierres
nobles : *Le Ru du verger*. René a hésité. Il voulait
être le plus près possible de son moulin, à sa porte.
La maison rouge accolée au bâtiment lui convenait
très bien. Georges, à la carrière florissante, cherchait,
lui, une habitation près de Paris, pour s'aérer avec sa
femme et leurs jeunes enfants. Il acquiert la demeure
de pierre blanche.

J'imagine Georges et René : ils se rencontrent sur le
verger, ils se présentent, ils ont trois ans d'écart. Georges,
l'aîné, est énergique, René plus réservé. Ils ont tous les
deux combattu, pendant la guerre mondiale de 14-18,
quand ils étaient jeunes hommes, Georges dans l'aviation, René dans les tranchées. Ils ont été témoins, l'un
et l'autre, de la boucherie du début du siècle. Leur vie,
dans le milieu des années vingt, est prospère ; l'un est
directeur des Beaux-Arts, le statut de ministre de la

Culture de l'époque, il baigne dans un univers d'artistes, d'intellectuels et de politiciens ; l'autre devient à la même période un industriel aisé. Ils ont tous les deux des revenus confortables, et leur enthousiasme, leur confiance en la vie, en leur statut social, leur joie d'avoir investi dans un aussi joli village, les font intégrer tous deux le conseil municipal. En 1932, dans la réjouissance générale, ils tombent tous d'accord, mon grand-père y compris, pour élire, et à l'unanimité, ton grand-père maire du village. De 1932 à 1940 règne l'entente très cordiale. Georges, avant de regagner Paris, vient dîner chez René, son secrétaire de mairie. « Ce que ça sent bon le pot-au-feu chez vous ! » dit Georges en poussant la porte du moulin.

Il donne ses places de spectacle pour l'Opéra à René et Yvonne, ma grand-mère, quand il est débordé par ses obligations officielles. René file vers la capitale avec son épouse, habillée chic, dans leur belle Talbot vert et noir. Yvonne retient son chapeau acheté au Printemps Hausmann. Ils traversent les Grands Boulevards, y dînent après le spectacle avant de reprendre la route de leur village. Mon grand-père connaît ce trajet par cœur, trente-cinq kilomètres. Il se rend très souvent à Paris, par le train, pour aller à la Bourse du commerce, surveiller la côte de sa farine. La côte est bonne. Il repère, pour sa famille, les prochains films qui passent sur les Grands Boulevards et le bon restaurant où ils pourront dîner ensuite. Il achète un

cornet de marrons chauds avant de reprendre le train.
La vie est foisonnante. Georges téléphone à René, lui
demande s'il peut signer des papiers en son absence,
trop de travail, pas la possibilité de quitter Paris pour la
campagne. Les enfants se côtoient : ils vont à la même
école communale. Ils jouent dans les jardins des uns
et des autres. Puis une des filles de René, deux ans,
se noie dans le ru, le ruisseau qui court entre les deux
maisons. Les familles s'accordent sans hésitation pour
couvrir la rivière. René monte une pergola sur l'espace
dorénavant couvert. C'est derrière cette pergola que,
plus tard, je pourrai surveiller d'un regard en biais les
allées et venues de votre famille.
L'histoire de l'enfant noyée, je ne la connaissais pas dans
les détails. C'est ta femme et toi qui me la racontez ;
je savais que l'enfant était morte, mais je ne savais
pas que c'était entre nos deux maisons, ni même dans
cette rivière au bord de laquelle j'ai tant joué. Ce drame
avait soudé sans doute un peu plus nos familles. Ta
grand-mère accueille les enfants de mes grands-parents,
anéantis par cette mort subite.
Je revois ma grand-mère : elle avance dans le couloir
de la maison du moulin, sa tasse de Ricoré à la main,
tenant de l'autre un chapelet. Toutes les nuits. Des
décennies entières.
Je crois comprendre, par la bouche de ton épouse, cher
Bruno, que cela donna à mon grand-père un statut
particulier ; il était le père de l'enfant noyée dans cette

rivière qui pulsait son moulin, traversait le village, le coupait en deux, rive droite et rive gauche, l'une versant plein sud, et l'autre, ouvrière, qui s'assombrissait au milieu de l'après-midi. La rivière alimentait les jolis jardins multicolores des belles maisons mais aussi les lavoirs communaux au bord desquels étaient savonnés le beau linge et le moins frais.

Ce que nos grands-pères avaient aussi en commun, à part leur amour du village et leur vie confortable, c'était l'attachement qu'ils éprouvaient pour leur patrie. C'est pour cela que Georges, radical-socialiste, et René, Croix-de-Feu, s'entendaient si bien. Ils aimaient leur pays.

Je ne sais pas ce qu'est le sentiment patriotique. Les seules fois où je l'ai éprouvé, avec une absurde vanité, c'était lorsque je marchais sur Lafayette Street à Manhattan ou quand je commandais des *french toasts* dans un *dinner* sur une avenue de Brooklyn. Beaucoup moins quand je lisais des articles de journaux américains où, je ne sais pourquoi, l'expression française *tour de force* semblait être la phrase journalistique utilisée à tout bout de champ. La vue du mot *avant-garde* me crispait aussi instantanément. Quand j'entendais *avant-garde*, je me tenais immédiatement sur le qui-vive. Peut-être mon côté *Croix-de-Feu* ressurgissait-il à ce moment-là. L'*avant-garde*, dans ma vie intime, c'était le retour à ma solitude. Car ce mot, tel un solo de trompette dans un western, me préparait à une fin de soirée sinistre dans un bar de Manhattan, suivant John comme une ombre obstinée. C'était l'esprit d'avant-garde qu'il cherchait sans cesse dans le cœur des autres, ceux qui l'écoutaient en hochant la tête, l'encourageaient à soliloquer, les yeux baissés et le sourire courtois. Ces soirs-là, John, radical-socialiste, rêvait d'avant-gardisme et ne le trouvait nulle part, sûrement pas dans mon regard furieux.

Cher Bruno, tu me dis que ton grand-père soutenait avec ferveur l'avant-gardisme de l'entre-deux-guerres. Théâtre, écriture, peinture, il en était féru ; l'avant-garde l'enthousiasmait, tout comme John, qui l'expérimentait dans un happening solitaire. L'avant-garde de Georges le faisait virevolter d'une soirée parisienne à l'autre. Il était épris d'art, de poésie, de tout ce qui était nouveau. Il était gourmand de l'inédit des choses. Il n'allait pas le chercher, seul, traînant ses lourdes chaussures d'ouvrier de petit bar en petit bar de l'East Village, pour le trouver parfois au bout d'une phrase chantée par un poète.

Georges donc, le radical-socialiste, est plébiscité dans notre village, à l'unanimité, en 1932, soutenu vivement par mon grand-père, René, qui devient son secrétaire. Juin 1940. L'armée allemande déferle sur le nord de la France. Georges ne donne plus de nouvelles à son village. On peut imaginer qu'il avait d'autres soucis en tête. L'antisémitisme est déchaîné. Georges a aussi des obligations ministérielles, des devoirs. Il n'a pas de temps pour *ses* villageois, ce qui lui sera vivement reproché. Ma famille fuit la région : c'est l'exode. Quand elle revient de Bretagne, en août 1940, la maison du moulin est occupée par l'armée allemande. Il faut cohabiter. La maison de tes grands-parents, cher Bruno, est elle aussi réquisitionnée. On est toujours sans nouvelles de Georges, et à la demande du nouveau gouvernement rallié aux envahisseurs, mon grand-père se doit de remplacer le maire, ce qu'il fait, en tant que *maire de substitution*, précise-t-il dès qu'il en a l'occasion. Je te vois lever les sourcils, cher Bruno. Pourtant c'est cette expression à laquelle il tenait. Il remplaçait Georges parce qu'il fallait bien que quelqu'un s'y colle. Coopérer avec les nazis, ça n'était pas une place enviable mais c'était cela ou laisser la possibilité aux communistes de devenir les véritables vainqueurs de l'armistice, Staline et Hitler étant encore très complices à ce moment de la guerre. Et pour mon grand-père, traditionaliste breton chrétien, le choix fut vite fait.

Quatre ans.
Quatre ans sans nouvelles de Georges.
Puis Georges revient à Paris lors de la Libération.
Nous sommes maintenant en octobre 1944. Au village, il devient le président du Comité de libération, formé dès le mois de juin par l'instituteur de l'école

60

municipale qui le soutient depuis des années. Il lui a concocté un petit groupe de partisans de tous bords, mais au final principalement communistes. Ce n'est pas ce que Georges aurait préféré, mais il n'a pas le temps de faire la fine bouche. Il a la rage au cœur. Il est plus convaincu que jamais qu'une révolution des mentalités est encore possible. Intransigeant, « la tripe républicaine au ventre » dira son épouse dans ses Mémoires, il ne fait pas de quartier. À Paris, il n'a pas retrouvé son poste de directeur des Beaux-Arts, un autre a pris sa place. Sa famille et lui vont d'appartement vide en appartement vide, habités, avant la guerre, par des familles qui furent déportées ou qui s'exilèrent. La guerre finie, comme une vague qui se retire, commence à révéler ses déchets jusqu'alors invisibles.

À la mairie, ça chauffe et ça ne rigole pas du tout. Georges est *remonté*. C'est ce qu'on dit encore aujourd'hui dans ma famille. *Il était remonté !* Aussi bien contre la France que contre son voisin René. René et la France sous l'Occupation, ça ne fait qu'un. René, c'est celui qui a pris sa place, celui aussi qui aurait pris sa maison, celui qui aurait occupé son jardin pour célébrer le mariage de sa fille. C'est celui, au nom du conseil municipal, qui congratule Philippe Pétain en 1940 puis Charles de Gaulle en 1944. Cela fait beaucoup pour Georges.

Dans le registre des conseils municipaux, entre juin et

octobre 1944, on peut sentir, à travers l'écriture qui court sur les lignes du grand cahier, la fièvre qui a monté. Ça prolifère d'adjectifs glorieux, ça remercie, ça congratule les conduites exemplaires, comme celle d'un meunier résistant (pas mon grand-père), qui au mépris des prétendues Lois de Vichy a toujours facilité le ravitaillement de la population. On commente un autre nom, souligné, surligné, puis rayé, gribouillé, on ne sait plus, on doute de tout, les mots se bousculent : *acharné, militant, résistant de la première heure, patriote incomparable, résistant énergique, passionné de la Résistance.*

Sur les photocopies du registre que tu me proposes de lire avec toi, cher Bruno, je peux lire : « Les hommes et les partis qui ont été les serviteurs de Vichy, c'est-à-dire de l'Allemagne, doivent être définitivement écartés. » Donc *exit* René, qui reste dans son moulin. Bafoué, blessé. On dit pourtant qu'il fut aussi appelé le Sauveur du village, lorsqu'en juillet 1944, il fut menacé d'exécution ainsi que tous les hommes de sa commune après la mort d'un soldat allemand dans une carrière au cœur d'un bois voisin. L'armée en débâcle veut des noms que René ne donne pas ou ne connaît pas. Il parlemente durant de longues heures, cherche à épargner de la fusillade la peau de ses habitants masculins. Cet événement, raconté sur une plaque de marbre à l'intérieur de notre petite église, tu ne le connaissais pas, Bruno. Il fut gravé par mon grand-père en 1948, en remerciement à Dieu. Ce n'est donc pas René qui a sauvé le village, c'est le divin. Tu te rends parfois dans cette église, pour des enterrements ou des concerts. La plaque commémorative, au fond à droite, tu ne l'avais jamais lue. Octobre 1944, René se cloître dans son moulin. Têtu comme un Breton. Celui qui a fourni, lui aussi, du rab en farine et fermé les yeux sur les factures impayées devient un moins-que-rien. Il attend, dans son bureau, sur son tabouret de meunier, surveillant le grain de blé secoué. Il attend que Georges vienne s'excuser, tout au moins communiquer. Mais jamais il ne le fera. Georges n'a plus envie de communiquer avec René le collabo. Sûr de ses convictions d'homme de gauche, sûr d'une nouvelle France d'après-guerre, il se prend de plein fouet l'échec de sa non-réélection en 1946. C'est la liste de mon grand-père qui est réélue, moins une voix, la sienne. René ne voulait pas se représenter. Il était resté dans son moulin, blanc de rage et de farine, exténué par la guerre, l'ingratitude, et lui aussi *remonté* contre son voisin. Leur mur d'agrément devient un mur de séparation.

Bruno, tu me dis que c'est à cause des blessures de ton grand-père que tu es toi-même aujourd'hui maire du village, pour réparer ses humiliations. La première, d'avoir été considéré comme un Juif planqué, et la deuxième d'avoir été battu aux élections au sortir de la guerre, par un village français qui, après l'avoir élu en 1932, n'en a plus jamais voulu. Aucun de ses habitants ne semblait avoir le goût de réparer la blessure antisémite faite à ta famille. Tu me dis avoir hérité des idées politiques de ton grand-père, qui est resté un socialiste convaincu, jusqu'à la fin de sa vie. Dans ton village, tu es présent, toujours dévoué, ne déléguant rien ou très peu.

Il me semble que tu viens de réprimer un sanglot. Je me suis à peine habituée à la musique de ta voix mais, là, je crois qu'elle est montée plus haut pour retenir ton émotion. Tu viens de me dire que tu n'as pas de souvenir de ton grand-père, qui est mort quand tu avais trois ans, mais que tu te rappelles très bien des dimanches en famille durant lesquels ton père et ta grand-mère ressassaient *le piège du* Massilia. Je découvre en t'écoutant, cher Bruno, l'histoire du *Massilia*, le paquebot que ton grand-père a pris, sur le port de Bordeaux, en juin 1940, sans prévenir ses villageois, alors même que l'armée allemande déferlait sur la France. Le paquebot embarque ta famille : ton propre père, ton grand-père ainsi que sa femme. Ils suivent Jean Zay, Georges Mandel et Pierre Mendès France parmi cinq cents autres passagers. Ceux qui montaient à bord de ce bateau, réfugiés et parlementaires, étaient convaincus que la France était à protéger de l'autre côté de la Méditerranée, en territoire français. Le voyage a été commandité par le président de la République Albert Lebrun et a reçu l'aval de Pétain qui vient de rentrer au gouvernement. Tous unis, ils doivent continuer la lutte. Ils partent donc, obéissant à leur patrie, répondant aux ordres de l'État. Mais, au bout de deux jours de mer, les voyageurs apprennent que le gouvernement a finalement capitulé et qu'il renie le départ du bateau et de ses occupants. Ceux qui avaient embarqué pour servir leur patrie deviennent soudain des fuyards, des lâches. La presse se monte instantanément contre eux, mêlant avec délectation la défaite française et les Juifs trouillards à bord du *Massilia*. Ton grand-père, à qui on avait rappelé qu'il était juif dès 1936, alors même qu'il l'avait oublié, devient un Juif froussard pour la France entière mais aussi pour son village. Il est celui qui a abandonné ses villageois autant qu'il a lâché son pays. Ce même mois de juin 1940, s'il avait suivi de Gaulle, qui s'envolait de Bordeaux par avion à deux jours d'intervalle, Georges serait devenu un héros national, mais il était de ces patriotes qui ne pouvaient pas imaginer quitter leur pays pour le défendre. Pour Georges, c'était antinomique. À leur débarquement sur les côtes marocaines, les passagers du *Massilia* sont considérés comme des embusqués. Ce fut ensuite le début des années de fausses pièces d'identité et de planques à volets fermés dans lesquelles il faut marcher en chaussettes pour ne pas attirer l'attention des voisins.

Ce qui semble ressortir de ton récit, Bruno, et de ton émotion à le raconter, c'est que ton grand-père ne s'est jamais guéri, ni du *Massilia* ni de l'après-guerre. Il avait beau être invité de par le monde, comme représentant de la culture française, être reçu avec les honneurs dus à son érudition et à son amour pour l'art, quelque chose était brisé à tout jamais. Il semblait s'être perdu, à un moment donné, mais où, et quand ? Enjoué et cultivé, doté d'une forte vitalité, avait-il été trop ambitieux ? D'où le rabâchage des dimanches en famille, ce que *Georges aurait dû faire et ne pas faire* dont, enfant, tu as été le témoin.

Je commence à être fatiguée. Je n'ose pas te demander un autre café. Je reprends. Je veux encore comprendre. J'appuie sur le point de tension douloureux. Juin 1944. C'est le débarquement des Américains sur la côte normande. C'est l'extraordinaire et folle énergie de ces soldats, qui n'ont le choix que de se jeter dans les flots, jusqu'aux épaules, fusil au-dessus de leurs têtes casquées. Le débarquement des Américains, c'est le sidérant cliché de Robert Capa, ces hommes qui avancent lourdement à travers les vagues, poussés par elles, tentant de rejoindre le sable le plus vite possible, parmi les sifflements des balles ennemies. Souvent les frappes des mitrailleuses de l'armée alle-mande transpercent leurs corps empêtrés d'eau et de tout leur matériel de combattant. Les survivants avancent le plus vite possible vers le sable, face aux viseurs adverses. Ils font exactement le trajet inverse des petites tortues à peine écloses courant vers la mer salvatrice pour se protéger des oiseaux prédateurs qui ont guetté leur naissance.

Il y a vingt ans, John et moi avons fait un périple sur la côte normande. Dans le train qui nous menait sur le lieu du débarquement du 6 juin 1944, j'ai vu le visage de John se défaire. À Omaha Beach, les vallées de gazon s'étendaient devant nous, couvertes de croix blanches à perte de vue. John, depuis longtemps bouleversé, lève une flasque d'alcool vers les milliers de noms américains, gravés sur le monument aux morts, noms d'hommes venus de si loin, de tous les États-Unis, des jours et des jours de train, d'avion et de bateau, pour libérer la France et délivrer l'Europe. De voir John tendre la fiole et la vider à leur courage, à leur obéissance et à leur sacrifice, je m'éloigne de lui en silence. À l'abri du vent et de la vision des noms des morts autant que de celle de John titubant de chagrin devant les monuments dédiés à ces héros malgré eux, je souhaite de toute mon âme, comme au temps du moulin de mon enfance, être aspirée par l'infini de l'univers et ainsi être à jamais loin de la fragilité des hommes et de ma propre lâcheté.

Jean Zay et Georges Mandel, les ministres ayant voyagé à bord du *Massilia* avec ton grand-père, juifs comme lui, désignés comme tels, ont perdu tous deux la vie, fusillés par des miliciens en juin 1944. Jugés et détenus pendant quatre ans, arrachés de leur lieu d'incarcération, ils ont été exécutés en pleine débâcle par les sympathisants nazis, pour qu'au moins, ces deux-là, ne survivent pas. Juin 1944. Ça meurt de toute part. Sur les plages normandes, sous les bombardements des villes d'Europe, dans les camps de concentration. Dans l'album familial, ma tante se marie ce même 6 juin 44. Les fleurs sont abondantes et les couleurs sont surtout bleu, blanc et rouge. Mais, comme la photo est en noir et blanc, on ne peut pas savoir. Durant la fête, dans la cour du moulin, on ne parle que du débarquement. *Ils arrivent, ils sont là.*

Il y en a un autre qui arrive lui aussi, qu'on avait presque oublié. C'est Georges. Comme Pierre Mendès France blessé par l'accusation de désertion lors de l'affaire du *Massilia*, Georges revient au village, envahi par le besoin de gommer l'outrage.

À ce moment de l'histoire, peut-on encore avoir envie de parler, de communiquer, de s'expliquer face à face ?

– Allô, René, c'est Georges, je suis de retour, on peut se voir ?

– Allô, Georges, c'est René, tu es rentré ? Il y a du pot-au-feu, tu passes à la maison ?

Non.

René, pour protéger la maison de son voisin Georges pendant l'absence de celui-ci, y avait placé un de ses amis. L'homme, au retour de Georges, lui aurait versé un loyer pour le temps d'occupation du lieu. J'ai entendu dire que Georges aurait pris l'argent, « comme un bon Juif ». On peut s'émouvoir de la vision de familles portant l'étoile jaune, on peut souhaiter ne plus jamais voir cela et pourtant affirmer, de la même voix et sans sourciller, que Georges, peu importe le caractère qu'il ait eu, est aussi un homme qui, au retour de ses années à protéger sa peau, *a pris l'argent comme un bon Juif.*

Tu me racontes, Bruno, que lors d'une cérémonie que tu as faite avec les anciens du village, comme tous les ans, en maire attentif que tu es, une femme a évoqué le désastre qu'a vécu le village sous la Libération, règlements de comptes en tout genre, femmes tondues, visages tachés de crachats, *la sale guerre*, tout en t'assénant encore que ton grand-père avait été un planqué. Les larmes dans la voix, tu as tenté de raviver la mémoire de cette vieille femme, qui avait vingt ans au moment des faits, en lui rappelant que toute la famille du côté de ta mère a disparu dans les chambres à gaz, et que de ce fait même, ce mot de *planqu*é était irrecevable. La femme s'est tue mais ne semblait pas totalement convaincue. Elle aurait pu tenter d'avoir le dernier mot avec un *il n'y a pas eu qu'eux*, sans penser à mal.

Juin 1944. Georges *le remonté* se rallie aux communistes du village, aux résistants de tout poil, des *troglodytes*, des *zigues pâteux*, *des révolutionnaires du dimanche*, disait-on chez moi, des *pieds nickelés* rassemblés par l'ancien instituteur du village, *l'homme de l'ombre, le mauvais génie*, commentait-on encore chez moi, celui qui voulait surtout régner à travers Georges, celui qui ne voulait en aucun cas une rencontre des deux voisins et surtout pas la paix entre le maire démis de ses fonctions et le maire de substitution. Il tenait au désordre avant tout, alors que personne ne l'avait vu sortir de chez lui durant l'Occupation. *Hussard noir de la Troisième République*, disait-on encore dans ma famille, méchant, sournois, manipulateur, une sorte de Raphaël Alibert, éminence grise du président Lebrun, lui aussi homme de l'ombre, baptisé également *mauvais génie* qui, en juin 1940, avait poussé Lebrun à se rallier à l'armistice et à renier les voyageurs du *Massilia*. Dans la petite histoire comme dans la grande, il semblerait qu'il y ait toujours de mauvais vizirs. Cet instituteur est encore aujourd'hui vénéré par ta famille. Il reste celui qui n'a jamais abandonné ton grand-père, un homme remarquable, un résistant émérite, un brillant socialiste solidaire. Dans ma famille, il est l'instituteur flemmard et sinistre qui avait pour seul mérite d'avoir épousé une enseignante dévouée qui, elle, ne lisait pas devant ses élèves sa pile de journaux de gauche sans même lever les yeux sur eux.

Bruno, tu me proposes maintenant de monter avec toi au premier étage de ta maison. J'ai du plomb dans les pieds. Il faudrait que je mange quelque chose. Je te suis. Je monte l'escalier. Celui que tout le monde a pris : ta famille, la mienne, les nazis, les locataires durant la guerre, tes frères et sœurs et tes petits-enfants. Dans le bureau, tu me présentes l'affiche électorale, posée sur la cheminée comme un trophée, de ton grand-père pour les élections de 1946. Je relis les noms de ceux qui soutiennent sa liste, les fameux *communistes par désœuvrement, résistants de la vingt-cinquième heure,* dans la version de ma famille – et sans aucun doute, parmi eux, des hommes convaincus depuis 1940 que le combat n'était pas perdu. Cette affiche qui trône dans le bureau familial fut également un échec cuisant pour ton grand-père. Sa victoire fut une défaite, sa fierté, une humiliation, et sa propagande, un fiasco.
Nous nous regardons, face à cette affiche, aujourd'hui mise sous verre et encadrée.
Nos histoires se font face, elles sont nées de celles des autres. Nous redescendons l'escalier.

Tu aimerais connaître ma vie amoureuse, Bruno. En avoir une petite idée. Je ne sais pas parler de l'amour ; je peux tout au plus l'écrire. Je reste évasive. Je te dis juste qu'un homme a marqué profondément mon cœur, qu'il s'appelait John et qu'il est mort depuis quelques années.

Il avait été diagnostiqué comme étant ce qu'on appelle aujourd'hui bipolaire. Tantôt enjoué, tantôt hostile, il vivait des périodes calmes durant lesquelles sa famille et moi guettions ses *retours de flamme*. Il semblait ne jamais dormir, présent à tout et à tous, même lorsqu'il était en période de méfiance extrême. Il était éveillé au monde. Le conformisme l'exaspérait vite, un jeu qu'il tentait de jouer poliment le temps de quelques jours. Il se regardait mimer la mascarade puis, soudain, abandonnait avec fracas ou abattement. Issu de familles d'émigrés italiens et irlandais, il pouvait être un jovial petit-fils d'Italiens, faisant la cuisine comme la lui avait apprise sa grand-mère de Torrito, fredonnant la poésie du monde et irradiant la fraternité qui l'habitait. Quand l'autre versant de lui-même déferlait sur son âme, il prenait l'accent irlandais et devenait un celte catholique, regardant son entourage avec l'œil mauvais de son aïeule insulaire, persuadé que la société n'était qu'une vaste conspiration uniquement tournée contre lui pour empêcher son juste combat. Tous les capitalistes y passaient, les Juifs, les protestants, les laquais du pouvoir américain. Il devenait à lui seul les minorités bafouées. Quand sa fureur passait, il tombait dans le mutisme, puis il revenait parmi nous, l'air de rien. Ses monologues enflammés ressemblaient sans doute à ceux de l'instituteur du village, vénéré de ta famille, cher Bruno. John aurait également pu compatir au regret fondamental de ton grand-père, qui était de ne pas avoir poursuivi son goût pour l'enseignement. Car la profonde nostalgie de Georges, après avoir perdu son poste au ministère, après avoir perdu celui de maire, après avoir perdu aussi son espoir de réinsertion, ce fut de ne pas avoir continué à partager ses connaissances. John, à sa manière, répétait comme une mélopée qu'il voulait apprendre et enseigner. Que c'était la seule chose qui comptait vraiment dans la vie d'un homme.

Dans le couloir de la maison de mon adolescence, un tableau est accroché, discret, que je connais depuis toujours car il était déjà au moulin du temps de mes grands-parents. La scène représente un flanc de la petite église de notre village. Un chemin verdoyant et ensoleillé le longe et descend vers les belles maisons bourgeoises qui ne figurent pas sur le tableau. La lumière est printanière ou évoque la douceur de celle des fins d'après-midi d'été de notre vallée. En dessous de la signature du peintre, le tableau est daté de 1942.

S'il a été peint en juillet 1942, par hypothèse, quinze mille Juifs étaient au même moment arrêtés dans leurs foyers à trente-cinq kilomètres du chevalet du peintre et entassés au Vél' d'Hiv, au cours de l'opération nazie nommée « Vent printanier », avant d'être expédiés comme de la viande vivante dans des wagons, puis exécutés au bout du voyage.

C'est cela que me murmure le joli tableau ensoleillé.
C'est ce paradoxe de l'humanité qu'il saisit dans son
cadre. Oui, on peut être inspiré par la beauté de la
lumière, dans un village sous l'Occupation. Un peintre
musarde et a envie de poser son chevalet précisément
là, sur ce sentier. De jeunes hommes nazis sont allongés
sous l'ombre des vergers, une marguerite entre les dents.
Pendant ce temps, à quarante-cinq minutes en voiture
ou en train, d'autres jeunes hommes, de la gendarmerie
française, séparent des familles sur les trottoirs parisiens.
Certains pleurent. Mais ils obéissent à l'ordre de leur
gouvernement. Ce jour-là, et même si c'en est un autre,
mon grand-père, maire par substitution, responsable
d'un village entier, exposé lui aussi aux représailles
nazies à la moindre incartade de ses « protégés », part
vers Paris pour se faire photographier au studio Harcourt, très prisé par les vedettes de cinéma et d'autres
personnalités du moment. Il y croise probablement des
officiers nazis et des figures du régime de Pétain. Il
fête ses cinquante ans.
Le peintre qui avance vers nous, cher Bruno, sa palette
et son chevalet sous le bras pour s'installer, bancal,
sur le sentier en pente de l'église, un beau jour de
1942, c'est l'insouciance. C'est l'aveuglement. Il n'y a
que le philosophe qui soit courageux, ai-je entendu
dire. Toi, en 1942, tu aurais dû changer de nom et
t'appeler Franquinet comme tes grands-parents. Moi,
j'aurais accompagné mon grand-père chez Harcourt

en lui tenant la main avec fierté et amour. Puis on aurait bu un café-crème sur le boulevard des Italiens, le cliché encadré et sous enveloppe bien en évidence sur la table de bistrot, tout en regardant passer les fourgonnettes de la gendarmerie nationale pleine de ceux qu'elle venait de rafler, en murmurant, entre deux gorgées de café mousseux, *c'est terrible mais que veux-tu, c'est la guerre.*

Ton paradoxe, cher Bruno, en cette fin de matinée hivernale et pluvieuse, c'est de me faire lire un article que tu as rédigé dans un journal local dans lequel tu racontes qu'un grand écrivain qui n'avait jamais voté de sa vie était sorti de sa belle maison pour aller aux urnes en 1932, offrir sa virginité électorale à ton grand-père. Mais tu ne révèles pas qu'il n'a pas voté pour lui en 1945 et qu'il s'est rallié sans hésitation à la liste de droite de René. Cet illustre écrivain et Georges ne se sont plus jamais adressé la parole. Tu pointes du doigt mon grand-père maire pétainiste puis facilement devenu gaulliste, un mec qui retourne sa veste et qui n'aura pas marqué l'histoire. Mais, pour les hommes de renom dignes de plaque commémorative, il y a toujours un peu de place. Tu sépares le bon grain de l'ivraie pour quelques jolies lignes éditoriales. Ne m'en veux pas pour ma dureté. Je me suis élevée avec le mur. Je suis faite de cela. Je ne me suis identifiée ni à ta famille, ni à la mienne, mais au mur. Je suis d'un côté comme de l'autre. Para-doxa.

75

Il y a quelques années, John et moi avons renoué des liens plus qu'affectueux. Sur la route de mon village, je lui ai demandé, pour la troisième fois en seize ans, s'il voulait bien m'épouser. Il ne s'y attendait pas. Je lui ai dit que je voulais lui appartenir, que j'étais lasse de n'être à rien ni à personne et que j'étais faite pour lui. Il m'a rappelé que, bien que sous traitement médical, il restait imprévisible et dangereux. Je lui ai dit que je m'en fichais. Sur cette route qui me menait jadis à *L'Auberge de la clef perdue*, John me demanda de stopper le moteur de la voiture et me serra dans ses bras. Contre lui, je ne savais pas encore que je n'assumerais pas cette ré-alliance, que je n'en aurais pas le courage. Dans ses bras, je me disais que nous nous marierions au village. Tous les descendants de René, le grand-père pétainiste, seraient là, et c'est toi, Bruno, déjà maire depuis 1996, qui nous unirait. Ainsi, par ce mariage célébré par toi, la paix serait définitivement rétablie dans le cœur de chacun.

Mais veut-on vraiment la paix ?

À partir de cette demande en mariage faite à John au bord de la route, je vacille.

La véritable imprévisible de l'histoire, c'est moi. Je doute et perds le sens des choses. J'ai l'impression que je vais mourir d'une minute à l'autre. Je ne sais plus comment vivre. Je reprends mes distances avec

John, mais avec précaution, pour qu'il ne s'en rende
pas compte trop vite. Parfois il me regarde, éberlué.
Un soir qu'il est venu à Paris, qu'il a traversé l'océan
pour nous voir, je choisis de le laisser avec sa fille
et mon fils à la maison ; je prétexte que je prends
un cours de philosophie, que cela me fait du bien,
que cela me donne un nouveau souffle. John sourit,
puis rit. Il sait que je mens : je vais assister à ma
première leçon de Torah. Je n'y connais rien et pourtant c'est cela que je veux entendre. À l'entrée de la
synagogue, je montre ma pièce d'identité. J'ai peur
qu'on me refuse, qu'on me dise que je n'y ai pas ma
place. Je subis un petit interrogatoire pour savoir si
mon intention est bien d'écouter les cours du rabbin.
J'ai l'impression qu'on ne le demande qu'à moi. J'ai
peur. Mon cœur éteint se remet à battre. Je pénètre
à l'intérieur de la synagogue. Je me mets à pleurer.
Je suis passée de l'autre côté du mur. Je suis dans
ton jardin, Bruno, et j'ai dix ans. J'écoute le rabbin.
Il parle de ce qui se fait, de ce qui ne se fait pas,
il dit que les règles de la Torah ont été établies par
Dieu pour guider les hommes, pour les aider à vivre,
parce que, sans règles, on ne peut pas. C'est trop
dur. Il faut s'accrocher au mât et donner du sens,
en permanence, à chaque seconde, à chaque tangage
donner du sens et tenir. S'humaniser chaque jour
davantage. Parce qu'on peut toujours faire mieux.
J'écoute l'homme au regard froid et légèrement brisé.

Je suis sûre qu'il me parle directement. Je récapitule avec soin les erreurs commises, les blessures reçues. Je rumine tranquillement sur mon siège. Mais à aucun moment je ne pense à ma raison profonde d'être là : celle de me tenir loin de mon foyer. Loin de John et de mes enfants qui sont restés à la maison, regardant un film comique à la télévision. Les larmes aux yeux, bouleversée par les mots du rabbin qui *m'aident à réfléchir*, je suis le peintre du village de 1942. Je suis l'artiste du dimanche, serein et ému, qui signe et qui date son paysage. Je traîne avec d'autres élèves, je remonte lentement la rue, je retarde l'heure de revenir dans le foyer que je suis en train de détruire une fois de plus. Pareille au portrait de mon grand-père fait au studio Harcourt, je reste belle, mais l'éclat dans mon regard a disparu.

Nous redescendons au salon. Dehors il pleut toujours. Je vais rentrer maintenant. Je vais te quitter, Bruno. Dans ma maison, à l'orée de notre village, j'ai finalement appris à dormir seule et sans crainte. Par-dessus son toit, s'étendent à perte de vue les champs du blé que broyait mon grand-père pour en faire de la farine, celle qui donnerait le pain.

J'ai été élevée par le pain. Dans la maison familiale, il était interdit de ne pas en manger. « Mange avec du pain, tu vas gâcher ». Manger du pain avec tout, avec des croque-monsieur, des pâtes, des pommes de terre rissolées. Reprendre du fromage, *pour finir le pain*. Ce régime ne coïncidait pas avec un tableau nutritif équilibré. Nous étions en surdosage de sucres lents. Mais c'était péché de faire autrement. Le pain, c'est l'existence même, dit le Talmud. On ne peut pas être nourri si on n'a pas mangé son pain. On suppose aussi que le fruit de la connaissance du bien et du mal était un arbre de pain. L'épi de blé devient, après le châtiment de la désobéissance à Dieu, le symbole même du travail : « À la sueur de ton front, tu cultiveras la terre pour gagner le pain par lequel tu vivras. » La vie de l'homme, c'est attendre que les épis s'élèvent et arrivent à maturation, pour ainsi récolter, engranger, conserver, moudre. Puis cuire. Saler. Manger.

John était sapeur-pompier. Ce métier l'aidait à trouver la fraternité et l'héroïsme dont il était avide. En anglais, sapeur-pompier se dit *combattant du feu*, et c'était vraiment ce qu'il faisait, il combattait au quotidien le sien et celui des autres. Il rêvait de mourir en héros. Mais ses dépressions de plus en plus fréquentes l'obligèrent à cesser son activité. Un an plus tard, les tours du World Trade Center tombèrent sur ses frères de feu et il replongea une nouvelle fois dans la stupéfaction. La seule chose à laquelle il se raccrocha, durant cette période d'écroulement, était une miche de pain. Il la mangeait sans prononcer une parole, lentement, méticuleusement. Le pain, comme création suprême de l'humanité, John se le mettait dans la bouche, pour rester vivant, pour se rappeler, en le mâchant, l'humanité dont il était porteur et qui pourtant le tuait chaque jour à petit feu.

Oui, il faut vraiment que je parte, Bruno. Nous nous reverrons. Cela n'était qu'une première rencontre. Dans ta maison, il n'y a aucun élément religieux. J'ai plus d'objet de culte judaïque que toi : la menora de Brooklyn, ainsi que celle qu'a laissée le père de mon fils en partant, les petites assiettes en carton de Pessah, que je garde depuis dix-huit ans et que j'assume plus ou moins selon les jours. Toi, Bruno, tu n'as pas été élevé dans le judaïsme mais dans la philosophie. Ta femme est d'origine grecque. Pour ton grand-père, être juif n'évoquait ni une race, ni un peuple, ni vraiment une religion. C'est après la guerre, après les massacres, qu'il s'est intéressé à l'Alliance israélite universelle. Toi-même, tu te dis israélite de France. Je ne te dis pas, cher Bruno, que j'ai un problème de prononciation avec le mot *juif*. Ma bouche appréhende de le formuler. Le mot *israélite* a une musicalité légère et exotique, alors que le mot *juif* me contrit et me culpabilise.
Il est tard.
J'espère vous revoir bientôt, ta femme et toi. Vous me proposez de découvrir votre jardin au printemps, quand il révélera toutes ses fleurs. Je me demande si leur éclosion est aussi belle que celle qui se produisait de l'autre côté du mur. De cette beauté, il me reste les

films de mon grand-père, imprimant sur pellicule sa femme et les roses, ses enfants et les dahlias, toutes ces fleurs, toutes ses fleurs. Inlassablement.

Je passe à côté de la gazinière de votre cuisine. Un infime fond d'eau dans une casserole continue à bouillir, certainement mis sur le feu au moment de mon arrivée. Personne pour surveiller. Il était temps que je parte.

Nous marchons sous la pluie. Tu es resté en pull. Tu ne t'es pas couvert pour te protéger. Il fait très froid. Tu me proposes d'aller au cimetière un jour, voir les tombes de nos grands-pères. Je te dis que le cimetière est de plus en plus sombre, à cause de la pollution aérienne. Tu n'es pas d'accord avec moi.

Je monte dans ma voiture. Celle que je conduis depuis dix ans, depuis que je suis une mère célibataire. Je ne laisse plus mon volant, pas même aux amants pour lesquels mon attachement s'effiloche très vite, comme si conduire enfin ma propre voiture allait de pair avec l'éphémère émotion que j'éprouve maintenant pour les hommes.

Je vais traverser le village. Je te fais un petit signe d'au revoir, Bruno, alors que j'aurais aimé rester dans cette zone de réconciliation et suspendre le cours de ma vie.

Je longe les corps de ferme sur la rue principale. L'épicerie est déjà fermée. Avec mon vélo d'enfant et passé ta maison, Bruno, j'allais parfois chercher des Pouss

Pouss, glaces à l'eau, orange ou citron, quand ma grand-mère avait oublié de nous acheter du Pschitt, boisson gazeuse très jaune ou très orangée. C'est là que ton père vous emmenait aussi, tes frères et toi, à bord de sa Maserati. Vous alliez vous aussi chercher ces glaces avant de rentrer à Paris. Même sous la lumière hivernale, le village est beau. Doux. Impénétrable. Un peintre y installerait son chevalet, un photographe poserait sa chambre noire pour en capter la ligne de fuite majestueuse. Tu peux être fier, Bruno, d'être maire d'une si belle commune.

Je prends une route où l'humidité persiste à longueur d'année. Je n'aime pas cette portion. Je la passe et je mets le clignotant. Je tourne sur la gauche, chemin goudronné courbe, comme si on entamait le début d'une région montagneuse. À ma gauche, se dressent des maisons discrètes au pied du flanc de la vallée. À ma droite, se devinent le chemin des randonneurs et, en parallèle, la rivière. Je me gare en marche arrière. Je suis stupéfaite. C'est la première fois que je fais cette manœuvre. Je ne l'avais même pas anticipée. Je coupe le moteur. J'ai rangé la voiture parfaitement perpendiculaire à la route sur le petit parking qui sert aussi aux pompiers pour alimenter leur pompe à incendie. Ma maison, au pied d'une grande butte, est sage comme une image de maison. À droite, comme à gauche, des voisins chaleureux. C'est John qui m'a appris à leur dire bonjour : « Tu ne peux pas ne pas dire bonjour à tes voisins. »

Sans lui, j'en serais toujours à la salutation bredouillante, le nez dans mes chaussures. Il n'y a pas de mur entre nous. Juste des arbustes qui fleurissent au printemps le long de grillages en plus ou moins bon état ; bref, on se voit. Parfois je suis tentée de leur demander s'ils ne verraient pas d'inconvénient à ce qu'on pose un grillage opaque, ou une palissade. Mais je n'ose pas. Et revenant de chez toi, cher Bruno, je n'ai plus envie d'un mur. Si je suis parfois déçue de mon jardin où rien ne pousse à cause de l'acidité de la terre, mes yeux peuvent profiter des plantations de mes voisins, qui eux, n'ont pas de conifères mais bénéficient des hautes graminées de mon terrain qui se meuvent sous les souffles d'air qu'on entend arriver quand ils soulèvent les branches des sapins.

John est mort il y a quatre ans.

La veille de sa disparition, je regardais le film *Love Story*. Je le connaissais. Je l'avais vu à sa sortie nationale. J'avais dix-huit ans. Je rêvais de l'amour et je l'ai vécu à ma façon. Je ne me plains pas. Quelques semaines auparavant, pour parfaire ma hantise de l'engagement, j'avais pris soin de demander aussi au père de mon fils s'il voulait m'épouser tout en étant protégée par son refus dont je ne doutais pas.

Devant l'écran, cachée dans l'oreiller, je pleure ma

jeunesse et mon innocence perdues. Le lendemain, je dois visiter une maison, cette fois au cœur du village de mon grand-père. Elle vient d'être remise en vente et l'agent immobilier m'a appelée. Je lui ai donné un rendez-vous. J'ai laissé mon nom, mais ce n'est pas le mien, c'est celui de John. Comme nous ne nous marierons jamais, autant porter le sien quand cela me plaît. Je visite la maison. Mon fils est resté dans la voiture. En plus de ne pas aimer le village, il ne comprend pas ce que je fabrique, à chercher sans cesse un nouveau toit. Je l'inquiète. La demeure est belle mais le travail de rénovation beaucoup trop important pour mes forces solitaires. Après la vaine visite, nous repassons, mon fils et moi, par notre maison, dans la commune voisine ; j'y dépose le sapin traditionnel et ses ornements que nous accrocherons plus tard dans la semaine. Je branche une guirlande électrique que John m'a envoyée d'Amérique. Le voltage est différent de celui d'Europe. Je sais qu'il faut un adaptateur, sinon les tubes n'y résisteront pas. Mais j'enfonce néanmoins la prise dans le socle mural ; les ampoules scintillent en deux temps puis claquent. Je rentre à Paris. À mon arrivée, j'apprends que John vient de mourir au cœur de Brooklyn. Je me souviens que c'est un premier soir de Hanoucca, celui durant lequel on allume la première bougie pour célébrer la fête des Lumières.

Ce soir, personne ne sait qu'une bougie scintillera chez

moi. Aucun témoin. Alors que ce sont des lumières dont le rôle est justement d'être vu par les autres. Puis je me coucherai et regarderai, sur un site Internet, un rabbin donner son interprétation de la fête. J'entendrai de la bouche de cet homme qu'allumer les bougies du chabbat, chaque vendredi, est encore plus important que les lumières de Hanoucca, car la lumière du foyer, c'est plus important que tout. La paix du foyer, c'est l'espoir d'un monde meilleur.

Silence dans ma maison à l'orée du village. Je me sens loin de tout. Je ne sais toujours pas quand je me suis perdue. Si cela date de la croisée du chemin d'un homme, ou de mes quatorze ans quand j'ai quitté le paradis. Je ne sais pas si je ne me suis jamais remise de la mort du chaton noyé ou de celle d'un amour qui n'a pas survécu. Alors vite, vite, je retourne dans le souvenir, je me cache dans un coin, derrière la porte métallique et grande ouverte de la buanderie du moulin, là, juste derrière le puits, sur un tas de sable qui sent la crotte de chat et les effluves de la machine à laver. Vite, vite, rester cachée dans ce chaud-là. Devant moi, dans la cour pavée, mon oncle et ma tante ont vingt ans, mon père est un bébé posé dans une vasque remplie d'eau et s'amuse à s'éclabousser. Je suis dans un film de mon grand-père. C'est l'après-guerre. Il s'est offert sa première caméra 8 mm. Tout le monde danse le swing. Mon oncle jaillit soudain d'une fenêtre de la cuisine dans un bond de félin. Ils font les pitres. Je gratte le sable aux odeurs de pisse de chat, je les entends rire. Cela me fait rire aussi. Je suis déjà inscrite sur la pellicule mais personne ne le sait encore. Le mur de la colère entre René et Georges est né. Mon grand-père se remet d'avoir été pétainiste malgré lui. Ou alors il a déjà tourné la page. Ou alors il pense qu'il a fait ce qui était juste. La guerre est finie, il va pouvoir s'occuper de son moulin et de sa farine. La belle Talbot a fini sous les décombres du bombardement de l'aviation anglaise de juin 1944. Les affaires ont pris un coup dans l'aile, mon grand-père a beaucoup prêté aux boulangers avant et pendant la guerre, le franc a dégringolé. Les remboursements se font rares. C'est au cours d'une de ces journées sourdes que Georges – celui qui était le maire du temps de la joyeuse connivence, puis « le Juif » après l'amère déception réciproque – tombe sur le chemin des randonneurs. Il meurt quelque temps plus tard, dans une chambre parisienne, guettant à travers la fenêtre la lumière de sa vallée chérie. René, bien plus tard, chute du haut de l'échelle alors qu'il récoltait les premières pommes de son jardin. Dans le lit blanc de la chambre d'hôpital, il meurt aussi, réclamant de rentrer chez lui, se sentant si loin de son moulin, soucieux de lui comme un père de son fils. Son cœur était faible, il suivait depuis quelque temps un régime strict. Peu avant sa chute, je déjeune à la grande tablée familiale, je suis assise à côté de lui et je prends un morceau de pain dans une petite corbeille près de son assiette. Je croque dedans et je recrache aussitôt. Son pain n'a pas de goût. Son pain n'a plus de sel. Mon grand-père mâche en silence le pain amer pour se rappeler l'autre, celui qui lui a tenu au corps tout au long de sa vie.

II
Le Syndrome de Jérusalem

Sylvia s'était promis de ne pas avoir peur. Son père n'avait jamais peur en avion. Son grand-père, avant d'être meunier, avait rêvé de travailler dans la mécanique aéronautique jusqu'au jour où son père, l'arrière-grand-père de Sylvia, lui aurait dit : *tu seras meunier, comme tes aïeux.* Mais le grand-père avait gardé intacte sa passion, et dans les années vingt, après la messe dominicale, il emmenait sa jeune famille au Bourget, pour voir décoller les avions, ou faisait quelques tours aériens avec un accompagnateur. À partir des années soixante-dix, il eut la satisfaction quotidienne de regarder les avions qui décollaient ou atterrissaient sur la piste de l'aéroport Charles-de-Gaulle, construit non loin de son moulin. Sylvia se souvenait encore du rassemblement familial dans la cour lors du premier passage du Concorde au-dessus de leurs têtes. Sa cousine devint hôtesse de l'air. Elle épousa un pilote de ligne et son frère, le cousin de Sylvia, pilotait maintenant des A380. Le frère de Sylvia apprit, dès qu'il en eut les moyens, à piloter des avions de tourisme. L'aviation, c'était vraiment une passion familiale transmise par le grand-père, mais également un besoin de réparer sa frustration.

Elle ne devait pas avoir peur ; elle aurait cinquante ans dans trois ans. Elle n'en avait plus le droit. Elle savait conduire une voiture depuis quinze ans, elle savait dormir seule dans une maison isolée depuis dix ans, elle savait marcher seule dans la nuit sur une route de campagne depuis cinq ans. Maintenant elle se devait de monter dans la carlingue sans avoir les larmes aux yeux, sans être convaincue, comme depuis des décennies, qu'elle était en train de vivre les dernières minutes de sa vie. Elle tenait cette phobie de sa mère qui, elle, avait réglé le problème en ne prenant jamais l'avion. Elle n'était pas habitée, comme sa fille, par la certitude d'aller vers sa mort en pénétrant la porte de l'avion, mais elle expliquait son refus par une profonde sensation de vertige qui lui donnait envie d'ouvrir la porte en plein vol et de se jeter dans le vide. Elle refusait également de confier sa vie à un homme planqué incognito dans sa cabine de pilotage qui pouvait s'avérer être un sale type. Sylvia avait finalement compris, depuis peu, que ce qu'elle ne voulait pas éprouver, ça n'était pas tant la peur de mourir que d'être en contact, sans échappatoire, avec la solitude absolue de son existence. Car, dès que Sylvia, en compagnie de la masse humaine sagement alignée sur les sièges autour d'elle, commençait à basculer en arrière dans la direction du ciel, elle comprenait de façon vertigineuse qu'elle n'avait personne à qui se raccrocher.

À son arrivée dans l'enceinte de l'aéroport, elle avait été très déçue d'apercevoir autant de gens parqués en file indienne devant les comptoirs d'enregistrement. Elle avait pensé que, choisissant un vol de nuit, elle aurait de fortes chances de voyager dans un avion de taille moyenne. Ses déductions étaient toujours très naïves. Elle piétina longtemps et donna à une petite fille qui se cachait dans les jambes de sa mère le loisir de la scruter. Sylvia n'était jamais à l'aise avec les enfants. Elle se sentait toujours jugée par eux, comme s'ils voyaient clairement le sombre de son cœur, cette valve bleu pourpre sur les dessins anatomiques. Aussi ne souriait-elle jamais quand un enfant l'observait. Elle faisait semblant d'être occupée ailleurs tout en sentant les petits yeux sonder son âme. Au bout d'un certain temps de fixation, la petite fille avait demandé à sa mère si Sylvia était un garçon ou une dame. La jeune mère, portant un foulard qui mettait en valeur un beau visage ainsi qu'un long cou de chair ferme et tendre, avait souri à Sylvia, un peu gênée. Peut-être ne le savait-elle pas elle-même. Puis Sylvia, mi-jeune homme, mi-femme mûre, sans doute à cause de ses cheveux portés très court, avait fait face à un agent de la sécurité au fort accent à qui elle avait confié son passeport. L'employée s'était éloignée pour vérifier sur l'ordinateur le contenu des données puis avait invité la voyageuse à déballer le contenu de sa valise sur une table de bureau à peine cachée du reste des voyageurs. Robes, jupes tombant à mi-chevilles, foulards, culottes, tubes de crème, masque relaxant, livres, boîtes d'anxiolytiques, tonifiants anti-âge, vibrateur-activateur du renouvellement cellulaire, l'agent passait tout au détecteur jusqu'aux rembourrages des soutiens-gorge. Sylvia souhaita vivement avoir possédé à cet instant précis un godemiché que la fonctionnaire décontractée aurait découvert entre deux pulls en cachemire délicat et aurait posé droit comme un I sur la balance destinée aux objets électroniques, à la vue de toute la file des passagers. C'était cette Sylvia effrontée que Sylvia aimait, mais elle n'existait que dans son imagination. La vraie Sylvia n'aurait jamais osé posséder un tel objet de peur qu'on ne le trouve dans un tiroir de sa chambre, après sa mort accidentelle, négligemment posé sur une pile de linge. Vivante ou morte, elle voulait être irréprochable. L'agent la remercia à la va-vite alors que Sylvia repliait la dernière jupe longue. Elle réalisa que sur les trois cents passagers qui embarquaient pour le vol de Tel-Aviv, personne d'autre qu'elle n'avait été tenue de déballer sa valise. Que dégageait-elle que les autres n'avaient pas ? Les voyageurs parlaient principalement hébreu, portaient kippa, perruques, et vraisemblablement un nom juif. Sylvia n'avait rien de tout cela. Elle guetta son sentiment d'exclusion et le tint à distance. Il ne fallait pas qu'il rentre dans son ventre et la pince sournoisement. Mais, comme son cerveau était déjà attendri par les anxiolytiques avalés dans le taxi qui la menait à l'aéroport, sa sensation de rejet était au ralenti. L'agent semblait l'avoir suspectée comme l'avait fait sa mère à l'annonce de son départ. Dès que Sylvia avait appris à ses parents son désir d'aller s'installer quelque temps à Jérusalem « pour prendre du recul, voir de nouveaux horizons, écrire et faire de la photo », sa mère lui avait demandé de la regarder droit dans les yeux.

– Je suis sûre que tu nous caches des choses à ton père et à moi. Toi et tes lubies, vous avez toujours été impossibles à comprendre.

Sylvia avait paniqué légèrement, comme quelqu'un qui ne se souviendrait plus s'il a bien planqué son godemiché sous la latte du parquet avant de quitter sa chambre.

Sa mère avait toujours eu le don de la déstabiliser.

Sylvia avait soutenu son regard bleu acier pendant quelques secondes avant de renoncer.

– Ah, tu vois ! avait conclu sa mère.

Pour éloigner le soupçon dans sa tête, Sylvia était venue se coller contre elle et l'avait taquinée par un langoureux *chalom* murmuré à l'oreille.

– Pas de gros mots chez moi ! avait répondu la mère en se reculant d'un élan sec.

Alors Sylvia, pour obtenir sa clémence, lui avait saisi la tête pour l'embrasser de force.

– Baiser de Judas, avait balbutié sa mère.

Des émotions contradictoires faisaient battre ses cils.

Sylvia attache sa ceinture de sécurité et l'ajuste à hauteur des hanches. Ni lâche ni serrée. Vérifie que le siège est en position nettement verticale. Elle attendra ainsi pendant quatre heures. Elle aura le temps de penser à de nombreux sujets qu'elle ne saura pas, comme souvent, tenir dans son esprit plus d'une minute. Avant tout, il faudra qu'elle surveille à travers le hublot si l'avion passe au-dessus du moulin de son grand-père. Toutes les fois qu'elle avait décollé de l'aéroport Charles-de-Gaulle, elle avait cherché, les mains en visière contre le carreau et submergée par la peur, le village de son enfance. C'était le seul moment où elle se donnait l'autorisation de penser à *lui*, où elle le regrettait dans le même vertige ascensionnel que son corps vivait à ce moment-là. Mais elle ne l'avait jamais aperçu.

Ensuite viendraient les questions sans réponse :

« Est-ce que ses parents lui en voudraient beaucoup ? »

« Pourrait-elle jamais leur dire qu'elle allait en Terre sainte pour se convertir au judaïsme ? »

« Pourraient-ils jamais comprendre que se tourner vers le judaïsme n'était finalement, dans le cœur sincère de Sylvia, qu'une manière de confirmer la foi chrétienne qu'ils lui avaient inculquée ? »

Sylvia doutait fort que ses parents supportent la nouvelle. Ils vivraient cette conversion comme une trahison insurmontable, le désastre de l'éducation qu'ils lui avaient donnée.

Sylvia repasse en mémoire flashée les événements de ses diverses communions. Communion privée à sept ans, solennelle à douze, confirmation à quinze. L'argent dépensé par ses parents pour célébrer l'évolution de sa foi catholique. La salle du restaurant chinois réservée tout entière pour sa communion solennelle. Une autre au Pavillon bleu, très chic, et vraiment bleu, dans le parc zoologique pour la confirmation de sa foi en Jésus-Christ. Elle se remémore les médailles, bracelet, montre, bijoux fantaisie, robe de chambre, argent de poche. Mais qui donc de la famille lui avait offert, pour sa communion privée, ce baigneur qui avait pour prénom David sur la boîte d'emballage et portait une étoile juive autour du cou ? Ce qu'il faudrait absolument, pour que ses parents ne sachent jamais rien de sa conversion, c'est que Sylvia mourût bien après eux, afin qu'elle pût recevoir le Kaddich en toute quiétude. Tout au moins son corps mort. Si elle mourait avant ses parents, même avant un seul, ce serait une catastrophe. Elle aurait fait sa démarche de conversion sans obtenir l'ultime satisfaction de sa quête, le suprême Kaddich. Jusqu'au tombeau, elle resterait une Juive planquée.

Juive. Juif. Sylvia avait toujours été inconfortable avec ce mot. Elle se souvenait que dès l'école élémentaire, à l'oral comme à l'écrit, elle avait immédiatement confondu le mot *juif* avec le mot *suif*. Elle avait entendu *juif* chez ses grands-parents, peut-être une fois. Deux fois ? *Suif*, elle l'avait appris en regardant à la télévision, toujours dans la même maison familiale du moulin de son grand-père, le film *Boule-de-Suif* adapté de la nouvelle de Guy de Maupassant, l'histoire d'une prostituée qui avait complètement échappé à la petite Sylvia. Plus tard, quand elle avait deviné la référence sexuelle du verbe jouir, ses déclinaisons et adjectifs tels que elle *jouit* ou *jouissif*, les mots s'étaient coagulés confusément dans sa tête.

À l'école primaire, Michael, le *Jouif* de la classe, qui était dans la même section que Sylvia depuis la maternelle, était le seul à se rincer les pieds avec un désinfectant que ses parents lui confiaient chaque fois qu'il allait à la piscine municipale. Pour Sylvia, cette singularité avait été très énigmatique. Il y avait eu aussi un événement particulier qu'elle avait suivi à la télévision : le père de ce même Michael avait été invité sur une chaîne nationale lors d'une soirée spéciale « traite des blanches » : on avait accusé certains commerçants de petites villes de province d'enlever les jeunes femmes dans les cabines d'essayage pour les vendre en Arabie saoudite ou quelque part dans le Moyen-Orient. Le père de Michael avait figuré parmi les suspects et apportait son témoignage sur l'ignominie provinciale. Comme il était juif, *suif* et *jouissif* remontèrent immédiatement à la surface du cerveau de Sylvia, assise sur le canapé familial. Dès lors, elle inspecta chaque cabine d'essayage, chaque toilette publique, à la recherche d'une porte dérobée ou d'une caméra qui aurait filmé son extrême intimité. Cette impression de se sentir observée n'était pas née de l'émission de télévision, ni du père *jouif* vendeur de jeans Levi's et dérobeur de jeunes filles. Non, c'est vers sa sixième année que, pour la première fois, Sylvia avait deviné que quelqu'un ou quelque chose la regardait. Elle jouait aux billes sur les motifs du tapis de sa chambre. Elle avait ressenti brusquement une Présence, quelque chose d'indicible, d'attentif et silencieux, qui n'était pas son propre isolement. Ce dernier, elle l'avait connu très tôt, quand, sous prétexte de repos, les yeux grands ouverts, elle attendait, allongée sagement dans le lit à barreaux de la nourrice. Elle l'avait retrouvé dans le petit dortoir de l'école maternelle. Ce sentiment, c'était l'absence glaciale de ses parents. C'étaient les oreilles qui sifflent à force de guetter leur retour. C'était le vide de leur non-présence, là, juste au milieu du sternum. Mais sur le tapis à motifs, au milieu de sa chambre, ce que Sylvia avait éprouvé, alors qu'elle était tout au jeu et à la vie, entendant ses parents bavarder de l'autre côté du mur, c'était la conscience d'être à l'intérieur d'un élément, d'y participer pleinement, d'être elle-même un être palpitant entouré d'une autre matière vivante, à la force intense, qui englobait toute vie, toute chose, jusqu'à l'infini. L'infini était une évidence, aussi évidente que cette Présence qui la couvait d'amour. Sylvia fut submergée de joie. Ensuite la Présence se retira pour que l'enfant puisse continuer à jouer tout en se sachant aimée de cette façon-là.

Puis Sylvia découvrit la mort. La mort et les larmes. Les larmes qui coulent sur les joues des parents. Les sanglots comprimés des grands-parents. Perte d'une tante. Le soir, dans le salon du moulin, Sylvia est captivée par les sombres téléfilms : une nourrice tueuse d'enfants, la peste bubonique, le choléra, des jeunes hommes qui partent à la guerre et dont les fantômes reviennent hanter leurs familles paysannes qui raclent des fonds de soupe, des femmes ensanglantées qui prennent des bains au beau milieu de la nuit et rient d'être découvertes, des personnages fardés de blanc, assis dans un train pour l'éternité, qui ne semblent pas être au courant qu'ils sont morts mais qui ne tardent pas à le comprendre à mesure que le même paysage défile sous leurs yeux effarés et sous ceux, horrifiés, de Sylvia. Elle ne dort plus. Elle ne sent de présences que funestes et macabres. La nuit, elle devine l'infini pour n'en saisir que le néant. Terrée dans son lit, elle guette les craquements de plancher émis par l'escalier sous les pas de sa grand-mère qui remonte vers sa chambre, une tasse de Ricoré dans une main et, dans l'autre, son chapelet. Mais au matin, c'est à nouveau son corps qui se réveille en premier, qui veut courir vers le dehors, monter sur le vélo. Ce sont ses mains qui veulent retrouver les joues du chien, la peau souple de l'animal et l'entraîner partout avec elle, à travers les bois, sur le chemin des randonneurs, au bord de la rivière, partout ; car de jour, tout est joie et tout est Dieu. Sylvia sillonne la campagne comme elle revisiterait son propre corps. Et la Présence se réjouit de sa vitalité. La Présence est sa propre vitalité. Il y a juste un obstacle à passer : la maison mitoyenne de celle de son grand-père. Ce qu'il faut, c'est ne pas regarder à l'intérieur du jardin, ça ne se fait pas, il y a des *Suifs*. Ce qui aggravait le trouble de Sylvia, c'était de ne jamais avoir vu un seul visage des occupants de cette maison. Jamais. Pendant quatorze ans. Les familles étaient fâchées. Sylvia n'avait jamais compris pourquoi, ne l'avait jamais demandé, ne savait même pas comment elle l'avait su, comme si elle était née avec ce fait. Elle en avait déduit, dans sa tête d'enfant, qu'on ne leur parlait pas parce qu'ils étaient *juifs* et que cela suffisait pour être fâché. Sylvia, sautant à la corde sur le pavé de la cour, observait à la dérobée la plaque d'immatriculation 75 des voitures parisiennes qui venaient se garer de l'autre côté de la cour du moulin. Est-ce que le 75 était le nombre *jouif* par excellence ? Elle savait que dans cette famille, il y avait un professeur de philosophie. Il s'appelait Bruno. Comment le savait-elle ? Aucune idée. Que savait-elle de la philosophie ? Rien. Que savait-elle de Paris ? Rien non plus, elle n'y était jamais allée. Quand les voisins jouaient au tennis, Sylvia, sur son vélo, baissait la tête et accélérait la cadence ; son cœur battait plus vite. Quand ils dînaient dehors, de l'autre côté du mur mitoyen, assise à sa propre table familiale installée sous le saule pleureur, elle écoutait les rires étouffés et les conversations inaudibles. Elle se disait que même si elle avait entendu nettement leurs propos, elle n'aurait rien compris étant donné qu'ils étaient juifs. Il n'y avait, à écouter les voix, aucun enfant de son âge. L'oreille aux aguets, elle devinait une voix de garçon légère, musicale, qui finissait ses phrases en remontant d'un demi-ton.

Un après-midi, elle regardait le film en Technicolor *My Fair Lady* sur le téléviseur de sa grand-mère, posé près de la fenêtre d'où on apercevait le parking des voitures marquées 75. Elle eut une révélation proche de celle qu'elle avait eue quelque temps auparavant avec la Présence. C'était une sensation physique mêlée à une pensée fulgurante extrêmement précise : elle voulut subitement être Eliza Doolittle, jeune femme souillonne et susceptible, révélée, sublimée par un professeur froid, le professeur Higgins. L'homme était sévère, imbu de lui-même, mais on le devinait chaud bouillant. Sous les yeux de Sylvia, il transformait la jeune femme plouc en princesse. Le personnage féminin était mu par l'amour qu'elle éprouvait pour son mentor, désir réciproque mais réservé chez le professeur aux yeux sournois, voire lubriques. À la fin de l'histoire, Eliza Doolittle devenait une femme sophistiquée pour la joie pure de glisser aux pieds de l'homme mature, et qui savait tout sur tout, ses pantoufles de nuit. Dans la tête de Sylvia, il y avait de fortes chances que ce professeur fût juif puisqu'il était très érudit et très snob. Sylvia avait trouvé sa vocation. Elle serait riche, célèbre, habiterait Paris, aurait une Maserati immatriculée 75 et achèterait, avec les économies de sa gloire, une maison à elle dans son village natal, une belle maison de pierre blanche avec un vaste jardin, qui ressemblerait étrangement à celle des voisins. Elle serait mariée à un *Jouif* mature et ardent. Il serait professeur de philosophie, taciturne, drôle et très amoureux de sa femme. Ils auraient beaucoup d'amis aussi drôles qu'intelligents, ils feraient des fêtes jusqu'à tard dans la nuit et ils auraient bien évidemment un terrain de tennis.

En premier lieu, comme la propriété de ses grands-parents n'était pas loin de la gare et donc pas loin de Paris, Sylvia décida qu'elle ferait ses études d'actrice à la capitale. Elle rentrerait tous les soirs chez ses grands-parents. Ainsi finirait-elle par croiser le plus jeune des voisins sans visage, le garçon à la voix musicale. Peut-être irait-elle jusqu'à aller sonner chez eux, se présenter à la façon d'Eliza Doolittle apprenant à saluer les grands de ce monde : « Bonjour, je m'appelle Sylvia, j'aspire au métier d'actrice et j'étudie actuellement l'art dramatique au Conservatoire national de Paris. »

De telle sorte qu'elle finirait par comprendre pourquoi *eux, c'était eux.*

Mais le scénario ne se déroula pas ainsi ; le moulin du grand-père fut vendu après son décès, la grand-mère partit finir sa vie dans une maison de retraite dans une petite ville sinistre de l'Oise, immatriculée 60. Ses enfants s'étaient partagé le maigre butin du bradage de la demeure familiale. Les parents de Sylvia investirent aussitôt dans une maison dont ils devinrent propriétaires. Au retour des vacances d'été, longeant la rue de sa nouvelle habitation, pleine du malaise de ses seize ans, Sylvia ramassa une balle que quelqu'un venait de lancer volontairement vers elle. C'est en rendant l'objet à son voisin, *jouif* de surcroît, qu'elle fut immédiatement invitée à une fête organisée par le jeune homme aux yeux rieurs. La tension dans le corps de Sylvia augmenta ; elle allait rentrer dans la maison d'un *Suif*. Le lendemain de la fête, elle vint aider son voisin à ranger le désordre occasionné la veille au soir mais tout était déjà impeccablement nettoyé. Sylvia, seule avec le jeune homme, ne comprenait toujours pas pourquoi il l'avait invitée à sa fête ni même pourquoi il faisait semblant de nettoyer la table déjà très propre. Il riait beaucoup mais Sylvia saisissait rarement pourquoi ce qu'il disait était si drôle. Il buvait énormément de Coca-Cola. Peut-être était-ce pour cela qu'il était si agité. À la dérobée, elle observait ses belles épaules masculines, ses yeux gracieux, ses dents grandes et avancées. Elle n'avait jamais embrassé de garçon et elle se demandait, en étudiant la bouche du jeune homme, si on pouvait embrasser quelqu'un qui avait les dents si apparentes. Cette interrogation troubla un peu plus son corps déjà très perturbé. Quelques mois plus tard, le jeune homme se tortillait toujours face à son imperturbable voisine, assise maintenant sur le lit de sa chambre de garçon. Sylvia ignorait toujours pourquoi il ne l'embrassait pas puisqu'il ne lui parlait que d'amour. Mais elle revint lui rendre visite, encore et encore. De plus en plus tendue. Le jeune homme, sentant son état – ou alors pas du tout –, parlait, parlait et parlait. Jusqu'au jour où Sylvia ne voulut plus jamais l'entendre parler et parler et parler, et lui ferma tout accès à elle.

Sylvia aura bientôt un demi-siècle. À l'école, quand elle apprenait les événements historiques, tout lui paraissait vieux. Quelqu'un d'un an son aîné ou son cadet appartenait déjà à un autre monde. 15 mars 1297 ou 3 février 1854, dates de naissance ou de mort des uns et des autres, lui semblaient d'une autre ère. Aujourd'hui, même la disparition de Charles Quint lui semble dater d'hier. Tout événement passé n'est vieux que de la minute d'avant, au pire de la veille au soir. Le temps perd de sa saveur différentielle. Sylvia se sent *d'Antan*, elle aussi.

Elle sort de ses réflexions éparses et se donne comme nouveau point d'ancrage le menu des films proposés durant le vol. Une comédie serait bienvenue. Le nez dans le programme, elle opte pour *Mamma mia !* C'est alors qu'un homme, vêtu de noir et la tête cintrée par un grand feutre, glisse sous les yeux de Sylvia son billet d'embarquement. Sa place est attitrée au hublot. Sylvia, qui voulait encore tenter de voir son village, se lève pour laisser passer l'homme tout en se reprochant d'avoir oublié de préciser sa requête d'être elle-même à la fenêtre. L'orthodoxe mutique retire son feutre noir et le range à l'intérieur d'une grande boîte circulaire qu'il glisse dans le coffre à bagages. Réajustant sa kippa cachée jusqu'à présent sous le chapeau, il sort son livre de prières et aussitôt s'affaisse sur son siège. Sylvia, toujours debout dans le couloir, peut détecter, dans le sillage laissé par l'homme, la singulière odeur de renfermé de sa barbe, ce même parfum poivré qu'elle a deviné parfois au cours de sa vie. Jeune femme, sur le chemin de son école de théâtre – car elle n'avait jamais lâché l'idée de jouer dans des téléfilms de la troisième chaîne –, sur la route étoilée de sa gloire télévisuelle donc, elle croisait souvent de vieux petits hommes à barbe blanche, portant des tenues noires, la tête coiffée d'un feutre de même couleur, des mèches de cheveux blancs dans le prolongement des tempes et qui semblaient fraîchement délivrées d'un bigoudi. Ils étaient souvent accompagnés d'un jeune échalas portant le même costume et aussi déboussolé qu'eux. Pour la plupart étrangers, leurs regards de myope plongés dans le petit papier sur lequel était inscrite une adresse incompréhensible, ils finissaient par interpeller la jeune fille. Elle étudiait l'adresse tout en devinant l'odeur musquée de la barbe des hommes. Puis elle montrait la direction à prendre en faisant des gestes précis et géométriques. Une fois, l'un d'eux lui demanda de l'accompagner. Confus et affolé, il tentait de la tirer par la manche et ainsi de l'entraîner avec lui. Sylvia refusa, méfiante. Elle était trop préoccupée par ses ambitions d'actrice pour comprendre qui étaient ces personnages. Deux décennies plus tard, quand elle vint faire un essayage dans un atelier fournisseur de vêtements d'époque pour les besoins d'un film sur la rafle du Vél' d'Hiv, elle découvrit l'adresse qu'elle indiquait des années plus tôt : c'était une yechiva, un centre d'études juives, de l'autre côté du trottoir, face aux ateliers de location de costumes. Derrière une petite porte donnant sur la rue, par où un homme en noir venait de pénétrer, elle eut le temps d'apercevoir une pièce sombre à l'intérieur de laquelle gesticulaient, murmuraient et s'exclamaient tous les fils et petits-fils de ces vieux hommes qu'elle avait guidés dans sa vie d'apprentie actrice. La ruche était là. Elle les entendait psalmodier alors qu'elle poussait la porte de l'atelier de costumes. Elle tomba nez à nez avec un mannequin vêtu d'une tenue militaire. Épinglé dans la mousse, au niveau du cou, figurait sur un carton le nom du caractère : Adolph Hitler. Était punaisé sur le mur, au-dessus du mannequin, le visage du comédien qui interpréterait le dictateur. C'était sans aucun doute un acteur qui avait rêvé toute sa jeunesse de jouer Perdican dans *On ne badine pas avec l'amour*. Pour Sylvia, avait été préparée une belle robe de mousseline bleu foncé à pois blancs. Sur un autre cintre, pendait la même robe mais détériorée : c'était sa robe de camp de détention, celle qu'elle porterait juste avant que son personnage monte dans le train de la mort.

À cette époque, Sylvia a quarante-trois ans. La seule chose qui anime sa vie est d'aller écouter un rabbin sévère, émacié, portant une belle mélancolie sur son visage hiératique, et à l'intelligence acérée. Lorsqu'elle entre dans la salle, il ne la regarde jamais. Pourtant, s'adressant à l'assemblée, il paraît ne parler qu'à elle tant tout ce qu'il dit la concerne. L'amour, le désir, la solitude, la mort. Parfois elle rougit comme une enfant puis pleure dans son cahier de cours. En entendant le rabbin lui parler d'elle, elle sait qu'elle s'est égarée depuis longtemps. Elle est passée à côté de presque tout, elle n'a quasiment rien vu, plongée dans le brouillard de ses rêves flottants. Comment ce sage au jugement sévère va-t-il considérer qu'elle joue, une fois encore, le rôle d'une Juive ? Pas sûr du tout qu'il approuvera. Il devinera une raison philosémite ambiguë. Sylvia a entendu dire qu'être philosémite est un élan douteux, ce qui l'a beaucoup perturbée. Mais d'autres complications se dressent devant elle, auxquelles elle tente d'échapper mentalement tout en essayant sa robe de camp de concentration. Un personnage du film est tenu par un ancien amant. Elle ne comprend pas pourquoi elle a accepté ce projet dans lequel il n'y a que des pièges, le pire étant de devoir prendre l'avion plusieurs fois au cours du tournage.

Le camp avait été reconstitué sur un plateau desséché par la canicule. Sa robe de souffrance l'attendait, se mouvant comme un fantôme sous les souffles du ventilateur de sa caravane-loge. Elle n'avait aucune scène avec son ancien amant. Il était *jouif* par hérédité familiale et en interprétait un. Dans sa loge, en attendant *son tour de camp* – les scènes dites « de l'après-midi » sur le plan de travail journalier –, Sylvia essaya d'apprendre par cœur l'air du film *Le train sifflera trois fois*. Peut-être était-ce la chaleur accablante, la poussière et la solitude qui lui avaient rappelé cette romance de Far West. Le train des déportés, représenté par une queue de wagon sur le plateau, y était aussi pour quelque chose. Sylvia sortit de la caravane en fredonnant *Si toi aussi tu m'abandonnes, oh, mon unique amour* avant de tomber sur son ancien amant qui finissait sa journée. Il observa sa tenue de la tête aux pieds.

– Tu ressembles à un téléfilm, lui dit-il, amusé.

Et ce qui aurait pu flatter Sylvia trente ans auparavant – quand elle rêvait de jouer dans un téléfilm sordide – accentua son sentiment permanent de honte, honte qu'elle éprouvait aussi face à cet homme depuis qu'il avait cessé de la vouloir. L'acteur couvert de fausse poussière passa son chemin. Elle cessa de chanter la rengaine et se jura à elle-même qu'elle venait de vivre là ses dernières secondes d'humiliation. Mais lorsqu'elle arriva sur le plateau avec d'autres femmes et enfants déguenillés, l'ancien amant fut appelé lui aussi sur le plateau, pour représenter le côté « camp des hommes », ceux qu'on faisait monter dans les wagons avant les femmes et les enfants. Il fut invité à se placer le plus près possible de l'œil de la caméra, pour « offrir » son regard aux protagonistes féminines qui voyaient leurs époux entraînés de force par les soldats allemands. Quelques secondes après que le moteur de la caméra fut annoncé, Sylvia fut sommée par un haut-parleur, elle et les autres femmes qui participaient au déchirement, de gueuler de désespoir. Face à cet ancien amant qui illustrait à lui seul le camp des hommes, Sylvia, la désaimée, en guenilles de Juive de pacotille, hurla comme jamais.

La carlingue accélère ; c'est toujours à ce moment que Sylvia comprend vraiment qu'il n'y a plus d'alternative possible. Le sentiment du « trop tard » prend tout son sens, il y a un bilan de vie qui s'opère immédiatement, dès que les roues de l'avion se replient, dès qu'elle sent sous ses fesses les premiers mètres qui l'éloignent du plancher des vaches. Voilà, c'est fini, c'est trop tard, c'est lancé, et elle avec ; et l'interrogation, toujours la même, vient alors s'installer dans son esprit, d'une façon quasi pavlovienne : *qu'a-t-elle fait de sa vie, mis à part souffrir et faire souffrir ?* Assise et figée, le corps basculé en arrière, le menton rentré comme si cela pouvait aider la propulsion de l'avion, Sylvia fixe son regard vers l'appui-tête devant elle. Elle est traversée d'une certitude. Elle ne mourra pas maintenant. Avec un homme comme celui qui est à côté d'elle, plongé dans ses prières et ne regardant même pas le paysage, rien ne peut lui arriver. Il dégage une concentration tranquille dont elle profite en tant que voisine. Sylvia sourit en coin, car ce fier-à-bras religieux qui n'a pas daigné jeter un seul regard sur elle ne se doute pas qu'elle en a guidé des petits vieux fiévreux, qu'elle en a conduit, et à elle seule, des hommes sur le chemin de leur yechiva.

Son corps a besoin d'une bonne heure pour s'adapter à la vitesse de la propulsion aérienne ; puis il s'apaise. C'est à ce moment-là que Sylvia prend le film *Mamma mia !* en cours de route. Elle met peu de temps à reconstituer l'intrigue de base. Trois hommes, cinquantenaires musclés et spirituels, débarquent chez l'héroïne, la cinquantaine largement passée, elle aussi toute fringante et indépendante. Les trois hommes, qui l'avaient connue autrefois, retombent éperdument amoureux d'elle, elle a l'embarras du choix. Que de joies, que de bouleversements, tout est bien qui finit bien, même quand on est sur le chemin de la vieille peau. Son voisin dort. Le menton affaissé sur l'épaule, ses mains fortes, de véritables battoirs, sont toujours posées sur son petit livre resté ouvert. Elle se rappelle immédiatement les hommes qui ont dormi près d'elle au cours de sa vie. Les mains sur leur sexe. Presque tous. Elle trouvait cela idiot. Qu'ils dorment avec un pistolet ou leurs économies sous l'oreiller, cela aurait été compréhensible. Mais la vision des deux mains sur le sexe flapi, comme si elle allait le leur piquer, l'horripilait. Mais cette vie-là n'est plus la sienne. Maintenant, elle peut profiter du sommeil de l'homme pour se pencher légèrement vers lui et plonger son regard flou en direction des deux pages de lignes régulières. Entre les gros doigts du prieur endormi, elle fixe les formes noires derrière lesquelles se cache le mot, son sens accessible ainsi que ses significations exponentielles. L'homme expulse son souffle vers elle. S'il peut saisir le sens de ces mots, à quelque niveau que ce soit, pourquoi ne le pourrait-elle pas ? Ça n'est plus qu'une question de jours maintenant. L'avion est pris d'une secousse inattendue. Sylvia attrape brusquement l'avant-bras du dormeur et le serre de toutes ses forces. L'homme ouvre immédiatement les yeux vers la main agrippée comme une serre d'oiseau. Puis il fixe le dos du siège avant, les yeux lourds de sommeil. Il attend patiemment que l'avion ait passé la zone de turbulence. Lorsque les lumières rouges reviennent au vert, Sylvia sourit évasivement tout en desserrant ses doigts de la veste noire de son voisin.

Face à un jeune douanier nonchalant, Sylvia glisse la lettre de recommandation du consistoire de Jérusalem qui confirme le visa exceptionnel de la voyageuse pour raison de conversion et autorise sa présence de sept mois sur le territoire israélien. Le garçon fait glisser le passeport vers sa propriétaire tout en jetant un œil à la file derrière elle. Sylvia range ses papiers en tremblant. La peur l'avait saisie lorsqu'il avait fallu révéler au jeune homme la raison de sa venue en Israël. L'organisme qui l'accompagnait dans sa démarche lui avait conseillé d'être franche et de montrer avec assurance et conviction les papiers qui garantiraient son entrée dans le pays. Mais, en ouvrant son dossier cartonné, Sylvia avait éprouvé un vif sentiment d'imposture qui lui avait immédiatement anesthésié la moitié du visage par une réaction de spasmophilie fulgurante. Le douanier avait feuilleté minutieusement les documents avant de les renvoyer du côté de Sylvia ainsi que son passeport vigoureusement tamponné. Son visage illisible ne permettait pas à Sylvia de savoir s'il approuvait sa démarche ou si, dans sa tête de jeune Israélien laïc, il pensait qu'elle n'était qu'une illuminée parmi tant d'autres qui débarquaient sur la Terre sainte.

Sylvia et son ancien voisin de vol, l'homme coiffé de son large Borsalino noir, se retrouvent à peu de distance l'un de l'autre face au tapis de livraison des bagages. Ils ont mangé, dormi l'un à côté de l'autre pendant quatre heures, ont respiré le même air, se sont frôlés par intermittence. L'homme l'a même rassurée pendant quelques minutes. Maintenant ils ne se souviennent de rien et regardent la bouche d'expulsion des bagages. Ils prennent au même moment leurs valises respectives.

Sylvia avance vers la sortie, fixant le feutre qui dodeline en haut du corps massif du religieux. L'homme en noir marche droit devant lui puis disparaît, fendant les groupes de familles et d'amis qui trépignent de joie ou sont déjà enlacés. Sylvia entend son nom et cherche dans le hall d'entrée d'où provient l'exclamation aiguë qui vient de l'interpeller. Elle fait de grandes enjambées vers son ami d'enfance, Michael. Ils s'embrassent chaleureusement mais sans grande effusion non plus, ce qui est certainement du fait de Sylvia.

*

Michael conduisait mal, freinait brutalement, mettait ses clignotants juste après avoir bifurqué, se faisait incendier par des klaxons et des appels de phares qui éblouissaient Sylvia dans le rétroviseur désaxé. Cela n'affectait en rien l'excitation et la joie du conducteur. Sur l'autoroute, il fit la course avec une camionnette qui transportait des hommes chantant à tue-tête par-dessus une musique techno assourdissante, secouant leur tête, déviant parfois la trajectoire de leur véhicule. Vêtus de tuniques blanches et portant des kippas tout aussi immaculées qui semblaient avoir été crochetées par leurs grands-mères, ils maintenaient la cadence. Michael riait de son rire de tête tout en gardant sa voiture au même niveau que l'estafette. Il leva le poing au rythme de la techno et ses fins bracelets tintèrent en se rejoignant vers l'avant-bras.

– Ce sont des *Na Narch*, commenta Michael. Ils n'ont pas l'air comme ça, mais ils ne plaisantent pas avec la joie. Le jour où tout le monde chantera comme eux, cela signifiera qu'on sera tous prêts à accueillir le Messie. Tu imagines la fiesta ?

Sylvia se tourna vers Michael, indécise et ne sachant quel sens donner à ces paroles. Elle n'arrivait pas à deviner le degré de sa foi, tout en sachant que son ami était pieux. Michael lui sourit tendrement et posa sa main sur son genou. Ses traits s'étaient affaissés mais l'œil était toujours vif. Michael était touchant. Sylvia comprit à ce moment précis que c'était à travers le regard que tout se voyait. On pouvait se tirer la peau, on pouvait repulper les creux du visage vieillissant, si l'œil s'éteignait, tout cela ne servait à rien.

– Demain, je passe te chercher pour ton premier cours, ma cocotte. Je te montrerai le chemin.

Il était son ami de toujours, installé depuis ses vingt ans sur la terre d'Israël et n'avait fait aucun commentaire lorsqu'elle lui avait annoncé son désir de se convertir. Il s'était proposé de l'accompagner comme il pourrait, ayant été élevé dans les règles de vie d'un judaïsme rigoureux. Michael et sa démarche chaloupée sur ses jambes interminables, sa pomme d'Adam si tendue qu'on croyait qu'elle allait fendre sa peau lorsqu'il renversait sa tête en arrière, s'était porté garant auprès de l'association rabbinique pour accompagner Sylvia durant sa période d'apprentissage intensif, et comme on ne se convertissait pas par amour, son ami n'eut même pas à jouer le jeu du futur époux.

Sylvia fixait la route. La nuit était tombée derrière les montagnes et donnait à la roche un éclat rose poudrée. Michael stationna dans une petite rue calme, au cœur du quartier qui était le sien et qui serait également celui de Sylvia. Il chercha dans la boîte à gants, parmi quelques trousseaux, celui qui convenait. Il lui confiait l'appartement de ses cousins retraités qui vivaient principalement en Amérique. Ils ne risquaient pas de débarquer à l'improviste car leur fille aînée qui vivait à Chicago se mariait sous peu, juste avant Kippour, la fête du Grand Pardon. Puis il y aurait très vite la fête de Souccot, dite des Cabanes, en octobre. La bar-mitsva d'un neveu à Barcelone se célébrerait en novembre. La cadette établie au Portugal se mariait après Hanoucca puis ils s'envoleraient ensuite pour le Mexique, fêter Tou Bichvat, la fête des Arbres, chez la sœur du propriétaire. Celle-ci s'était lancée dans la culture d'oliviers. C'était la première année de cueillette après trois ans d'attente anxieuse. Ils traîneraient certainement encore un moment en attendant la fête de Pourim. Bref, ils n'étaient pas près de rentrer. Cela laissait à Sylvia plusieurs mois devant elle pour accomplir sa conversion en toute quiétude.

L'appartement était constitué de deux chambres spartiates à plusieurs lits, d'un grand salon contre les murs desquels de hautes étagères accueillaient des livres reliés écrits en hébreu, des traités de maîtres indispensables et classés avec soin, ainsi que des recueils de poésie. Quelques objets religieux pour la plupart en argent reposaient derrière une vitrine aussi transparente que le cercueil de Blanche-Neige. La cuisine étroite était composée de deux éviers et deux lave-vaisselle ainsi que de placards qui grimpaient jusqu'au plafond.

– C'est très bon pour toi, ça va t'obliger tout de suite à faire attention à la cacherout, lui dit Michael en ouvrant chaque compartiment alimentaire pour vérifier avec Sylvia quelles étagères étaient attribuées à quelles denrées. Sylvia, ne mangeant jamais de viande, rassura tout de suite son ami et confirma qu'elle ne ferait usage que du bac à vaisselle qui servait à laver ou rincer les assiettes et les plats n'ayant pas servi à cuisiner et consommer de la chair animale. Elle n'avait pas non plus l'intention d'inviter qui que ce soit dans cet appartement qu'elle occupait de façon illicite. Ils vérifièrent ensemble les éléments manquants, pour les courses au supermarché qu'ils partirent faire dans la foulée.

– Tu veux aller au Kotel ? lui demanda Michael.
Ils s'étaient installés dans un restaurant bruyant, et la digestion prenant possession du corps épuisé de Sylvia, celle-ci se sentit l'apparence d'un python ayant avalé un âne. Elle avait les entrailles retournées, un mélange

de trac et de dérèglement interne dû au voyage. Mais elle ne pouvait pas se coucher sans voir le mur. Elle avait besoin de le regarder et qu'il la reçût. Être face à lui, avancer vers lui, le toucher de ses paumes, de ses joues, dès ce soir, et se rappeler qu'elle se convertissait aussi à cause de lui, pour lui, pour qu'il soit son mur, à elle aussi.

Les ruelles de la vieille ville étaient sombres et humides. Parfois un garçon vêtu de noir, les papillotes flottant autour de sa tête comme des filaments de méduse, passait à côté de Sylvia et de Michael en courant, prenant soin de ne pas déraper sur le pavé glissant, poli par des siècles d'humanité fervente. Le ventre de Sylvia s'affolait maintenant comme pour un rendez-vous amoureux. À côté d'elle, Michael lui racontait des événements bibliques et historiques dans leurs moindres détails. Il aimait son pays. Il aimait aussi le judaïsme. Pour lui, l'un n'allait pas sans l'autre ; voilà pourquoi il vivait ici. Sylvia l'écoutait tout en guettant les mouvements de ses intestins. La seule chose qui l'agaçait, c'était l'usage abusif du *on* que pratiquait Michael quand il parlait du peuple juif. « Quand *on* a perdu le Temple, quand *on* s'est libérés de l'esclavage, quand *on* a reçu la Torah. » Dirait-elle *on*, elle aussi, quand elle serait convertie ? Dirait-elle *on*, des larmes dans la voix, comme si elle venait d'échapper la veille aux dix plaies d'Égypte ? *On, on, on.* Sylvia fut traversée par un souvenir lointain.

Elle était aux toilettes d'une brasserie parisienne. Une femme se lavait les mains en racontant à sa camarade de lavabo son voyage en Pologne. Elle décrivait les montagnes de lunettes et de paires de chaussures laissées par les Juifs allant nus dans les chambres à gaz. Et l'autre qui ne pouvait pas voir la vérité de ces tas inconcevables enclencha le séchoir à mains en clamant au-dessus de la ventilation, comme si elle s'était sentie directement menacée : « Enfin, on dit toujours *eux, eux, eux*, mais il n'y a pas eu *qu'eux*. »

Il y avait donc deux façons de voir l'histoire : celle du *eux*, et celle du *on*. Sylvia comprit qu'elle cherchait à fuir l'une mais ne savait pas si elle serait capable d'assumer l'autre. La troisième façon de connaître le passé, par la connaissance distante et factuelle des événements, ne l'intéressait pas. Elle voulait étudier afin d'appartenir.

Elle déboucha sur l'esplanade, parsemée de groupes de touristes venus des quatre coins du monde, de jeunes réservistes assis en cercle à même le sol, de garçons et de filles à l'écart qui flirtaient sans retenue, kalachnikov en bandoulière, de familles en pèlerinage, de jeunes mariés en voyage de noces, de religieuses vêtues de gris, chaussées de nu-pieds, le visage disparu, ne laissant à voir aux yeux de tous que l'uniformité de leurs traits. Et puis il y avait ces hommes qui dévalaient à toute vitesse la légère pente qui menait au mur, seuls ou en bande, avec une sorte de chef de meute à leur tête, portant chapeau haut et fourré, bas aux chevilles, redingote noire ou rayée et ventre en avant. L'attention que Sylvia porta à ces hommes fut si forte qu'elle regarda à peine le mur qu'elle avait tant désiré et qui se dressait devant elle. Elle suivit distraitement Michael jusqu'à la rambarde muret métallique derrière laquelle on pouvait observer les prieurs. Les deux amis s'accoudèrent et regardèrent le spectacle qui se déroulait sous leurs yeux. Assis au bout d'une table de fortune, face à un groupe d'hommes qui semblaient ne rien écouter tout en caressant leur barbe, un maître charismatique clamait, gestes théâtraux à l'appui, des mots inaudibles aspirés immédiatement par la porosité du mur ancestral.

– Il s'interroge encore sur Sarah. A-t-elle couché avec Pharaon, oui ou non ? traduisit Michael.

Il gloussa de bonheur. La fatigue mêlée à la vision de cette ferveur masculine assomma brusquement Sylvia. Elle proposa à Michael de rentrer vers leur quartier.

En remontant une artère menant à la porte de Damas, Sylvia ralentit en passant devant un jeune couple religieux assis l'un à côté de l'autre, plongé dans un livre. Le garçon pointait du doigt quelque chose sur la page ouverte et la jeune fille, attentive, recevait ses paroles tout en gardant les yeux baissés.

– L'étude de la Torah, c'est un vrai piège à filles, lui murmura Michael.

Sylvia s'appuya au balcon du salon de l'appartement. Un grillon dans le buisson du jardinet veillait aussi.

De l'autre côté de la rue, une vieille dame regardait la télévision muette comme un aquarium. Les changements de plan sur l'écran dansaient sur le visage de la femme, qui, lui restait imperturbable. Un vieil homme passa au fond de la pièce, avec des sacs de courses qu'il déballa sur la table. Ils semblaient se parler. La femme marmonnait tout en fixant l'écran, et lui vaquait derrière elle, rangeant les victuailles entre placards et réfrigérateur. Sylvia reçut au même moment un message écrit de son père. Il espérait qu'elle était bien arrivée et que tout allait bien. À la lecture des mots bienveillants, elle fut prise d'un sentiment de culpabilité qui ébranla fortement sa conviction d'avoir fait le bon choix : elle en avait oublié ses parents. Ils étaient déjà dans le passé, et ce message paternel lui rappelait que c'était faux, qu'ils étaient bien réels, bien présents et qu'elle ne leur avait rien avoué de ses intentions. Même s'ils ne pouvaient ⸱as précisément deviner ce qu'elle tramait, ils savaient ⸱u'elle fomentait quelque chose. Sa mère trouvait que c'était une énorme erreur de partir si longtemps, d'autant que sa fille n'avait plus de travail. Sylvia vivait sur ses réserves : encore six mois d'indemnités de chômage et la location d'un deux pièces qui lui appartenait au cœur de Paris, le seul placement intelligent qu'elle eût jamais fait. Car bien qu'ayant gagné très confortablement sa vie pendant des années, elle avait placé ses revenus dans des affaires bancales, conseillée par un gestionnaire qu'elle méprisait mais à qui elle obéissait pourtant au doigt et à l'œil. Il avait disparu avec la majorité de son capital. Elle avait fait beaucoup d'autres mauvais choix ; mauvais choix de rôles, mauvais choix d'hommes. Elle était pourtant bien partie, comme la bonne sprinteuse qu'elle avait été adolescente. Mais elle s'essoufflait vite. Elle ne gagnait que le soixante mètres, jamais le cent. Elle avait toujours détesté les tours de stade et c'était de cette endurance sur peu de mètres qu'avait témoigné sa vie jusqu'à présent.

Elle écouta les bruits de la nuit. Outre le grillon solitaire, elle n'entendait rien ; une voiture passa au loin. L'appartement était plongé dans l'obscurité. Elle se mouvait dans sa planque le plus discrètement possible. Comme le sol était de marbre, elle pouvait le fouler de ses pieds nus sans crainte d'être repérée par les voisins du dessous. Elle se devait aussi d'utiliser le moins possible d'électricité qui aurait pu se voir sur la facture des propriétaires. Par chance, Sylvia avait été élevée dans la traque du gâchis : celui des aliments à finir dans son assiette, ceux qui attendaient leur sort dans les tupperwares du repas de la veille, ceux à consommer avant la date de péremption pour pouvoir entamer quoi que ce soit de nouveau. Elle avait connu la chasse aux portes mal fermées en hiver, les ampoules à 40 watts qui auraient éclairé inutilement une pièce inoccupée. Sylvia avait appris à manœuvrer les robinets de douche pour se mouiller le corps puis pour le rincer, mais jamais pour se délasser sous le jet presque trop chaud. Elle avait appris à remplir son gobelet d'eau tiède avant le brossage des dents pour ne pas faire couler inutilement l'eau du lavabo. La chaîne hi-fi et ou la télévision se devaient d'être débranchées car leur veilleuse était aussi un facteur de dépense inutile. Elle avait vu sa mère remplir midi et soir les deux bacs de l'évier pour faire la vaisselle, l'un pour laver et l'autre pour rincer, avant de poser l'objet mouillé sur l'égouttoir. Essuyant les verres avec le torchon qui leur était attribué, la jeune Sylvia avait pesté contre toutes ces recommandations, tous ces interdits. Elle avait aussi rêvé de devenir actrice pour avoir un lave-vaisselle, ouvrir les fenêtres au cœur de l'hiver, les fesses collées à un radiateur brûlant, fumant une cigarette tout en attendant que la baignoire soit pleine à ras bord ; puis elle aurait éteint la lumière de la salle de bains pour plonger la pièce dans la pénombre avant de s'immerger dans l'eau. Frissonnant du contact de son corps avec l'eau légèrement trop chaude, elle aurait observé à travers la porte entrouverte, comme un roi son trésor, l'éclairage diffus de la télévision restée allumée et celui de toutes les lumières de son vaste appartement parisien, pour la gloire de l'inutile.

Seulement voilà, elle avait entendu : « Ce que je fais pour moi est-il bon pour les autres ? » Cette question formulée par le rabbin parisien hiératique, lors de sa toute première leçon de Torah, elle l'avait immédiatement associée à l'idée du gâchis. Dans la soirée qui suivit, alors qu'elle faisait couler de l'eau tout en se brossant les dents, sans aucun gobelet à proximité, la phrase du maître était revenue à son esprit. Elle avait fermé aussitôt les robinets, contrite. Elle savait que cette question s'entendait à plusieurs niveaux, mais s'interroger sur le flot d'eau déversé inutilement était déjà un pas suffisant pour se diriger vers les fondements du judaïsme. Sylvia comprit ce soir-là que ses parents avaient été moins craintifs de la facture EDF que soucieux de préserver l'humanité à leur humble mesure. Si elle s'appuyait sur l'éducation qu'ils lui avaient donnée, il n'y avait donc pas plus juif qu'un bon chrétien. Cela la conforta dans sa détermination.

Quand elle avait exprimé son désir de conversion à quelques amis de cours de Torah, ils lui avaient surtout conseillé d'y aller lentement, de se choisir une synagogue à fréquenter et de s'y tenir quelques années. Mais Sylvia n'avait pas le temps. Il fallait qu'elle se convertisse, et le plus vite possible. Bien que croyant modérément en Dieu, sauf quand elle avait bien dormi, elle voulait désormais envisager autrement la totalité du reste de sa vie, l'aborder avec conviction, s'y engager et l'empoigner minute après minute. Aussi bonne actrice que bonne spectatrice, elle avait aimé se regarder vivre. Mais elle ne pouvait plus continuer ainsi. Le soir où elle avait appelé Michael pour lui annoncer son désir de venir en Israël afin de se convertir, elle avait visionné sur Internet, le matin même, une conférence de son maître à la belle

austérité. Il y était question des Temps messianiques :
la venue du messie ne pourrait se faire que lorsque les
hommes auraient renoncé à tout, se seraient dépouillés
de tout espoir et de toute projection. L'humanité serait
alors digne de recevoir le Nouvel Homme. Sylvia avait
téléphoné immédiatement au consistoire de Jérusalem
pour envisager les Temps messianiques sans aucune
alternative à la conversion. Elle avait attendu quelques
minutes pour être mise en contact avec le service.

– Allô ?

– Bonjour, monsieur le rabbin, avait répondu Sylvia.

Il y avait eu une brève tension pendant laquelle l'interlocuteur avait paru occupé à ranger quelque chose dans
un tiroir.

– Dites-moi, chère madame, avant toute chose, croyez-
vous en Dieu ?

Sylvia en avait déduit que le silence précédant la question avait servi à enclencher le détecteur de mensonges.
Son cœur s'était mis à battre la chamade.

– Oui, avait-elle répondu fermement.

Silence. L'homme avait vérifié sans aucun doute l'intensité de son affirmation.

– Êtes-vous prête à épouser la nation d'Israël et à renoncer à toute contrainte autre que servir Dieu ? avait
interrogé l'homme, les yeux rivés sur le détecteur.

– C'est mon vœu le plus cher, s'était étranglée Sylvia.

– Alors je vous envoie un mail avec tous les détails

administratifs à me renvoyer au plus vite. Nous commençons une nouvelle session dans dix jours.

*

Michael l'avait déposée sur la place de Sion plus tôt car il devait garder ses neveux. Sylvia se retrouva seule au pied de la porte de la vieille ville, déjà envahie de touristes et de quelques marchands de galettes au thym. Passant sous le porche antique, elle longea la via Dolorosa puis tourna à droite. Le nez en l'air, Sylvia guettait le numéro 11, piétinant derrière un groupe de touristes qui se déplaçait à petits pas, obéissant aux mouvements d'un parapluie dressé vers le ciel devant eux. Sylvia, trépignant d'impatience, aperçut enfin, au-dessus du bob d'un homme transpirant et déjà épuisé, les chiffres espérés. La porte de bois clair était imposante. Peut-être Godefroy de Bouillon lui-même l'avait-il poussée. Mais ses intentions n'étaient pas comparables à celles de Sylvia. Elle saisit la lourde poignée et sentit un picotement au ventre à l'idée du baraqué Godefroy de Bouillon tournant l'épais métal de ses grosses mains gantées de fer. Puis elle poussa la porte. Un jardin paisible s'offrit à elle. Tous les bruits de la rue se turent. Une fontaine coulait quelque part, derrière de beaux oliviers de taille moyenne, à moins que son ruissellement ne provînt du contrebas de la terrasse en tek sur laquelle une large table et quelques chaises accueillaient des pèlerins raffinés. Sylvia regarda droit devant elle. Elle avançait vers sa conviction. Le bâtiment aux pierres jaunes et douces, aux fenêtres arquées évoquait un fort antique. Passées les quelques marches qui menaient au bureau d'accueil, Sylvia poussa la porte à double battant. La fraîcheur soudaine la fit frissonner. Le hall était désert. Seule une pancarte discrète indiquait, comme codée, la salle de cours : Asp. C. Sylvia longea un couloir à damier noir et blanc solennel ; elle était très en avance.

Un papier scotché sur la porte confirmait que c'était derrière celle-ci qu'auraient lieu les cours. Ces derniers seraient composés tels qu'elle les avait imprimés à la réception du mail certifiant l'acceptation de son dossier et qu'elle avait rangé dans sa précieuse pochette cartonnée : du dimanche au vendredi midi : 9 heures-11 heures, cours d'Oulpan. 11 heures-13 heures, leçon de fêtes. Déjeuner. Puis 14 heures-16 h 30, cours de Talmud-Torah. Les leçons de fêtes juives alterneraient avec les lois de la cacherout une semaine sur deux. Sylvia ouvrit la porte. La pièce était plongée dans une légère pénombre. Elle n'osa pas chercher les interrupteurs. La salle était sobre et haute de plafond. Des tables scolaires reliées les unes aux autres formaient un fer à cheval. Elle se dirigea vers le côté gauche, fit le tour des chaises et jeta son dévolu sur un siège presque au milieu du demi-cercle. On entendait d'infimes bruits venant de la réception, mais Sylvia se sentit soudain très seule. Son arrogance était tombée, révélant à nouveau le sentiment d'illégitimité qui couvait de façon latente au fond de son cœur. Elle sortit ses cahiers et ses crayons de bois bien taillés. Elle posa également sur la table un stylo à bille quatre couleurs. La liste des livres serait donnée par l'enseignant. Sylvia entendit des pas se rapprocher puis la poignée de porte fut actionnée. Le visage glabre d'un homme apparut brusquement ; Sylvia se crispa. Bien qu'assise sur un siège d'école, avec ses fournitures scolaires ordonnées devant elle, son sentiment d'être quelqu'un sans place attitrée s'agitait encore. De la porte entrouverte, l'homme observait timidement la salle.

– C'est bien ici les cours d'Oulpan ?

Sylvia acquiesça dans un souffle. L'homme se contenta de ce signe et pénétra dans la pièce. Il était dodu, semblait venir des îles, Martinique ou Guadeloupe, Sylvia ne pourrait pas savoir tant qu'elle ne lui aurait pas demandé. Il semblait un peu plus jeune qu'elle. Les traits placides, les yeux globuleux et inexpressifs. Elle ne put se retenir de penser qu'il avait quelque chose d'apparenté à l'hippopotame. L'homme, ne sachant pas qu'il était devenu un animal, sourit de ses larges dents, ce qui confirma l'impression de Sylvia. Il s'assit à l'opposé d'elle, de l'autre côté de la chaise centrale.

– Je m'appelle Émile.

Sylvia sourit en remontant ses pommettes vers le haut afin d'étirer la commissure de ses lèvres.

– Sylvia.

– Enchanté.

Ils attendaient, déjà prêts à recevoir l'enseignement. Chacun retenait son souffle, pour ne pas déranger celui de son voisin, et surtout pour ne pas mêler le sien à celui de l'autre. C'était une question de dosage, d'absorption d'air puis de sa diffusion la plus fine possible au sortir des narines. Face à eux, un grand tableau aux feuilles virginales semblait attendre, lui aussi.

La porte s'ouvrit à nouveau sur une femme menue et âgée. Son attitude entière était furtive et légère comme celle d'une souris.

Elle demanda aux deux « intro-convertis » si les cours avaient bien lieu ici.

Les deux murmurèrent par l'affirmative, la respiration sous contrôle.

Odette trotta vers la première chaise qui se présentait à elle, au bord du fer à cheval. Ils avaient beau essayer de se faire discrets, ils étaient réunis pour la même chose, car c'était bien la même chose : confirmer leur foi de vouloir être juifs.

Puis ce fut un homme d'une soixantaine d'années qui pénétra dans la salle de classe. Il souleva dignement son chapeau de feutre et se présenta à l'assemblée.

– Jean-Guy.

Il accrocha avec assurance son pardessus de toile fine au portemanteau, puis étudia de biais la table et ses occupants avant de choisir au plus près de qui, et au plus loin de quel autre, il prendrait possession de son espace d'écoute. Il s'installa près de la vieille dame. Des pas affolés se rapprochèrent ; les quatre élèves dressèrent l'oreille. La porte fut prise de quelques soubresauts. Puis une femme ouvrit le battant avec fracas, comme dans un vaudeville maladroit.

– Je croyais qu'il fallait pousser !

Elle rit coquettement derrière ses gros doigts vernis d'un rouge écarlate très bien posé. Elle devait avoir une petite cinquantaine d'années. Laissant la porte grande ouverte, souriant de toutes ses dents mal placées, elle vint s'asseoir à côté de Sylvia, tout en sortant, de son grand sac difforme, petits carnets et feuilles volantes, enfouis parmi trousse de maquillage, iPad, iPhone ainsi que leurs chargeurs. Elle extirpa une grande étole au coton très léger. Le nez de Sylvia détecta un trop grand nombre de pulvérisations diverses. La nouvelle recrue respirait très fort mais ne reprenait pas son souffle pour autant. Sylvia, telle une éponge, sentit immédiatement que cette femme allait vite l'épuiser si elle restait à ses côtés. La voisine se figea brusquement, l'inspiration suspendue, et tourna la tête vers elle.

– C'est bien pour les cours d'Oulpan ?

Tous les participants lui sourirent en répondant par l'affirmative, déjà inquiets, guettant encore la porte qu'elle avait laissée ouverte.

« Un vivier de vieux célibataires », se dit Sylvia.

Elle avait appris par Michael que l'organisme se targuait de quatre-vingt-dix-neuf pour cent de réussite lors de l'examen final devant trois rabbins nommés par le consistoire. Il était préférable d'être un aspirant à la conversion animé d'une envie forte de créer une famille et d'élever sa progéniture dans un judaïsme traditionnel. Mais, à la vue de l'assemblée qui se formait peu à peu autour de la table, les probabilités que ces personnes puissent donner naissance à des rejetons célébrant chabbat en famille étaient faibles. Âgée d'une trentaine d'années, une jeune femme aux traits classiquement sémites vint contredire la conclusion hâtive de Sylvia. Elle laissa elle aussi la porte grande ouverte.

– Bonjour, sourit la jeune femme.

Elle dévoila de longues dents. Son nez busqué remonta légèrement vers ses yeux ronds et rapprochés. Ses cheveux crépus étaient retenus par un chouchou d'un vilain rose.

« Elle a un visage ingrat », aurait pensé la mère de Sylvia, ce que se dit aussitôt sa fille.

Tous s'animèrent sur leurs fesses pour murmurer leurs prénoms non juifs après que la jeune femme se fut présentée sous celui de Coralie : Jean-Guy, l'homme élégant, Émile le placide Guadeloupéen ou Martiniquais, Sylvia la Juive refoulée, Chantal l'oppressée, Odette la dame souris et Coralie aux traits sémites. L'heure du premier cours était passée de dix minutes et tout le monde semblait présent. Sylvia le vit enfin : au fond du couloir, un homme, veste et pantalon assortis bleu nuit, coiffé d'une casquette de la même teinte, avançait sur les dalles. Il avait la silhouette légère d'un enfant. Ses chaussures noires à doubles semelles gémissaient sous ses pas au fur et à mesure qu'il se rapprochait. Il pénétra dans la salle. Il paraissait juvénile. Sylvia étudia instantanément sa chemise blanche chiffonnée, élimée au col et aux emmanchures, qui faisait ressortir la pâleur de son visage et le rouge vermeil de ses lèvres pleines. Son pantalon révélait des chaussettes de tennis blanches. Les talons de ses curieuses chaussures étaient passablement usés. C'était lui, c'était son professeur. Il retira sa casquette bleu nuit, découvrant alors une kippa noire des plus rudimentaires ; son air espiègle derrière la monture métallique de ses lunettes réchauffa immédiatement la salle figée dans la pénombre. Il mima par petits mouvements de cou son étonnement et pressa tous les boutons électriques. À l'allumage spasmodique des néons, ses élèves, dont Sylvia, lui apparurent nettement. Ils clignaient des yeux comme des fennecs surpris par le plein jour. L'homme en fut très amusé.

– Bonjour, je m'appelle Franck. Je suis ce qu'on appelle un instructeur en judaïsme et je vais vous accompagner tout au long de ces sept mois.

Ses petits yeux noirs d'astigmate furetèrent de visage en visage.

Il s'agita autour du tableau, à la recherche d'un marqueur.

Il se tourna vivement vers son assemblée émue.

– Alors, on y va ?

On frappa à la porte.

Franck s'arrêta net dans le décapsulage du feutre.

Un jeune homme passa son beau visage d'Inca par l'encadrement.

– Je peux entrer ?

Il avait un accent d'Amérique du Sud très prononcé.

Franck, encore plus amusé, dodelina de la tête comme un jeune oiseau de basse-cour et sourit au nouveau venu en lui désignant une place à côté de Chantal, la voisine au souffle court. Sylvia, l'observant s'avancer vers la table, ne put s'empêcher de se demander comment diable un Amérindien avait réussi à se rapprocher du judaïsme et l'affubla immédiatement d'un sombrero imaginaire. Sa mère était encore venue dans sa tête pour lui souffler cette vision et Sylvia jura pour elle-même que c'était la dernière fois.

Devant son cahier vierge et son crayon de bois aiguisé, elle attendait avidement la première phrase de sa première leçon, la première parole qui aboutirait à sa conversion, sept mois plus tard. Franck, dos au tableau, prêt à écrire, suspendit son geste et se tourna vers ses futurs fidèles.

– On va commencer par un petit échauffement... Quelqu'un a-t-il une base, même petite, d'hébreu ? Oui ? Non ?

Tout le monde répondit du menton, hésitant entre affirmation et négation.

– Eh bien nous allons procéder ainsi : vous allez me

donner vos prénoms et je vais tenter de chercher une résonance hébraïque dans leur traduction. Ainsi je retiendrai vos prénoms pendant que vous entrapercevrez, ne serait-ce que du bout du cil, le monde de la Torah. Je vous préviens tout de suite : lorsqu'on commence ce jeu-là, il faut être prêt à ne jamais en avoir fini. Alors on y va ?

Franck passa en revue les regards fixés sur lui avec crainte et dévotion, comme ceux d'enfants effrayés et excités d'être choisis par le prestidigitateur.

– Vous, chère madame.

Odette, la vieille dame, porta lentement sa main fine et veinée à son cœur qui battait certainement aussi vite que celui d'une musaraigne.

– Moi ?

Franck sourit du fond de ses petits yeux noirs.

– Oui, vous, votre prénom ?

Les mâchoires d'Odette se mirent à trembler imperceptiblement.

– Eh bien, je suis Odette.

Le visage de Franck se figea. Il sembla rentrer totalement en lui le temps de sa réflexion.

– Bon, pas d'affolement. À ma connaissance, Odette n'existe pas en hébreu. Mais on va trouver quelque chose.

Il fit crisser légèrement le feutre noir pour tracer des signes sur la grande feuille qui se révéla encore plus blanche sous les lignes en train de se former. Il énonça :

– *Hod*, en hébreu, c'est la « splendeur majestueuse ».

Il y a aussi *odaa*, qui signifie la « reconnaissance ». Je ne vois rien de plus, mais à suivre...

Odette, à la peau si fine qu'elle en était presque translucide, se mit à irradier et ses pommettes s'empourprèrent. Elle était émue et *reconnaissante* de redécouvrir son prénom.

Sylvia recopia consciencieusement les lettres sur son cahier, bien que le prénom ne la concernât pas. Elle s'entraînait surtout à reproduire le tracé des lettres.

– Qui maintenant ?

Émile leva la main, placide et confiant.

– Je m'appelle Émile.

Franck se frotta énergiquement le front. Il cherchait, raclait au plus profond de sa connaissance quelque chose qui pût ressembler à Émile. Sa peau devint rouge d'irritation.

– Ah, pas facile Émile. *Emaïl*, c'est l'émail. Et l'émail, c'est l'inaltérable. Nous verrons plus tard la symbolique numérique de vos prénoms, mais ça n'est pas à l'ordre du jour.

Il inscrivit *emaïl* en hébreu et Émile dut s'en contenter.

Franck devina la gêne que suscitait chez ses apprentis à la conversion de nommer leurs prénoms de baptême.

– Hé, je m'appelle Franck ! Je suis parti de rien moi aussi.

Il entama sa démonstration sur le tableau.

– Franck, ça s'écrit avec un *f* ou avec un *p*, puisqu'en hébreu c'est la même lettre. Ensuite on a le *r* puis le *q*.

Ce qui donne *perek* qui veut dire « chapitre », mais si on pousse un peu plus loin, on voit que le verbe *parak* signifie « secouer, briser », mais aussi « résoudre ». Franck se retourna vers eux. Il était content de lui. Tout cela le rendait joyeux. L'assemblée approuva silencieusement sa virtuosité, comme des badauds médusés par la démonstration d'un marchand, debout sur son stand de fortune et vantant les pouvoirs révolutionnaires d'un appareil électroménager.

Chantal chercha à inspirer profondément par les narines. Son souffle, hélas, ne parvint pas à remplir entièrement ses poumons qu'elle tenta de gonfler en deux temps infructueux. Son inspiration douloureuse pénétra dans les oreilles de Sylvia et lui donna des frissons au sommet du crâne.

– Chantal, je m'appelle Chantal, pépia celle ainsi nommée.

Elle sourit à l'assemblée et devint très jolie.

– Je sais, c'est un prénom bizarre, il peut être assez banal mais aussi très gracieux. Ça dépend de quel point de vue on se place. C'est pareil pour tous les prénoms, non ?

Franck fit un sourire de connivence mais ne se prononça pas.

– On va voir, on va voir. Chantal, c'est le *chaan*, ce qui signifie « le bruit, le tumulte » et si on rajoute *tal*, qui veut dire la « rosée », ça donne… Le tumulte de la rosée. Pas loin de vos intuitions, chère Chantal.

Celle-ci inscrivit ses lettres hébraïques dans son cahier, déterminée.

Jean-Guy dénoua légèrement son foulard de soie fauve pour laisser sortir son prénom.

– Jean-Guy, affirma-t-il.

Franck posa sans hésitation la pointe de son feutre au tableau et traça ce qu'il décomposa comme tel :

– Jean, c'est *Yo-hanan*, c'est « Dieu a gracié », ou « la Grâce de Dieu ». Guy n'existe pas comme tel mais il est proche de *gaï* qui veut dire vallée.

Franck se tourna vers Jean-Guy. Ce dernier avait pris quelques centimètres supplémentaires, bien qu'il fût déjà le plus grand de tous.

Soudain des talons aiguilles crissèrent sur le dallage du couloir. Derrière la porte quelqu'un se rapprochait, inquiétant à nouveau la tablée des novices. Une jeune femme apparut. Elle s'arrêta net, regarda rapidement un à un les élèves qui la fixaient, stupéfaits par cette beauté botticellienne. Elle observa Franck un court instant. Celui-ci avait les mains plaquées sur le bureau, avec, au fond des yeux, l'expression d'un chien à l'arrêt.

– Oh ! pardon, je me suis trompée, minauda-t-elle.

Elle avait un adorable timbre de voix, pointu et sucré. La belle se retourna rapidement, laissant deviner les formes généreuses de ses trente ans, sous le tissu de crêpe d'une robe à fleurs jaune et blanc. Elle s'éloigna aussi langoureusement qu'elle était apparue, laissant la porte grande ouverte. Ses cheveux tombant jusqu'au creux des reins tentaient de dompter ses courbes. Sylvia n'avait jamais aimé les cheveux portés très longs ; leur vue même la dégoûtait. Les femmes qui portaient avec ostentation le cheveu long et lâché étaient suspectes à ses yeux, même et surtout de dos. Elle ne comprenait pas comment un homme pouvait désirer une femme aux cheveux très longs, surtout quand ils étaient fins et raides. Mais ce qui se passait sur le dos de cette femme-là était tout autre chose. La nappe épaisse d'un blond vénitien, scintillante comme du synthétique, accompagnait sa colonne vertébrale à la manière d'une traîne au couronnement de la beauté. On ne savait plus si le corps s'était érigé pour être digne de la longue chevelure ou si cette dernière n'avait pas résisté à recouvrir l'enveloppe charnelle de la jeune femme. Autour de la table en demi-cercle, on s'observa rapidement, soulagé que la créature ne figurât pas au nombre des nouveaux disciples.

Franck marchait maintenant de long en large, après s'être frotté vigoureusement le front où des rougeurs apparurent. Il balançait ses yeux furtifs sur le visage de ses élèves. L'expression de ceux dont il avait converti les prénoms avait légèrement changé. Seuls Coralie, Sylvia et Miguel, le bel Amérindien, restaient dans leur obscurité.

– Jeune homme, voulez-vous rentrer dans le monde de l'Aleph Beth ? l'interpella Franck.

Celui-ci rit de ses dents parfaites. Il se présenta, nimbé de son accent roucoulant.

– Miguel, c'est l'espagnol de Michael, songeait déjà Franck à voix haute.

– Uruguayen...

– D'accord, uruguayen, donc Miguel c'est l'ange *Mikha-El*, qui veut dire « qui est comme Dieu », « qui ressemble à Dieu ». C'est lui qui annonce la naissance d'Isaac à Abraham et à Sarah.

Miguel, par émotion autant que par délicatesse, n'afficha pas son plaisir.

– Allez, on continue, s'impatienta gentiment Franck.

Il pointa du doigt Coralie. Sylvia, encouragée par sa mère, se demanda si Coralie avait conscience de son profil particulier et si elle se convertissait pour unir son apparence extérieure à sa conviction intérieure.

– Coralie, marqua Franck sur le tableau, c'est *kera-li*, ce qui signifie « mon festin », ou *corakh-li* qui veut dire « ma contrainte ». On peut y lire aussi *cora-li* comme « ma poutre » ou « mon événement ».

Les sourcils de Franck se soulevèrent de contentement mutin. Sylvia se dit qu'il devait s'ennuyer face à de tels ignorants avec qui il ne pouvait pas débattre. Mais sa piété, son goût de l'enseignement et son envie d'élévation spirituelle à l'égard de son prochain l'assuraient qu'un jour l'un d'eux, fort de connaissances qu'il aurait lui-même prodiguées, viendrait se mesurer à lui.

Il interrogea Sylvia du regard. Sans émotion apparente,

elle avait attendu et noté consciencieusement toutes les informations concernant les autres. Son humilité nouvelle lui avait conseillé la discrétion.

– Alors, et vous ?

– Moi, c'est Sylvia, dit-elle, de la même manière qu'elle aurait dit qu'elle n'en valait pas la peine.

Franck la dévisageait tout en semblant fouiller dans sa bibliothèque intérieure.

– Sylvia ? Comme ça, je ne vois rien.

Franck était presque rude, mais l'était-il parce que ce prénom ne lui évoquait rien ou parce que, ne lui évoquant rien, il mettait sa propre connaissance en échec ? Le cœur de Sylvia frappa dans sa poitrine, amèrement. Elle se demanda soudain si elle passerait l'étape ultime de la conversion. Peut-être Franck pressentait-il quelque chose de pas net chez elle, qu'elle ne voyait pas elle-même, mais que Franck, avec sa sagesse biblique, avait perçu. Il devina qu'il venait de la mettre sur la touche et ne pouvait pas laisser sa nouvelle recrue dans le bas-côté.

– Je vais trouver, je vais trouver. Pas d'inquiétude...

Franck venait de transformer presque tous ses élèves en un groupe d'individus qui pouvait s'identifier chacun à un attribut unique et spirituellement judaïque. Ils se souriaient à eux-mêmes, ils étaient déjà des lettres et des symboles bibliques. Ils venaient de rentrer dans l'aventure des sens cachés, mais révélés au grand jour, grâce aux connaissances de Franck. Tous, sauf Sylvia.

Mais Franck allait y réfléchir, allait penser à elle – plus exactement à son prénom – alors que les autres étaient déjà « cacherisés ». Sylvia restait un mystère qu'il lui faudrait bien résoudre.

– Bon, il y a une chose qui me chiffonne maintenant, c'est la disposition de cette table. On dirait la Cène, vous savez, quand Jésus prend son dernier repas avant d'être arrêté et crucifié. Vous connaissez tous l'histoire, n'est-ce pas ? Oui ? Non ?

Franck interrogeait des yeux les uns et les autres. Les conviés à la conversion ne réagirent pas. Non, personne ne semblait savoir de quoi il parlait. Quelle Cène ? Quel Christ ?

– Allons, Miguel, tu sais ça non ?

– Non, je ne sais pas, pourquoi je saurais ?

Miguel, ou plutôt Michael, *l'unité divine personnifiée*, était froissé d'être censé connaître l'histoire du Christ, comme un bon descendant d'Indiens convertis de force au christianisme. Il haussa les épaules, vexé mais amusé quand même. La tablée n'osait pas affirmer qu'elle connaissait très bien les principales étapes de la vie du Christ. La moitié, ou plus, de la planète savait, sauf eux. Il y eut des moues, des hésitations, des gestes vagues. Seule Chantal avoua qu'elle avait des notions catholiques.

– C'est le repas du Christ avec les apôtres et Judas le traître ?

– Exactement, confirma Franck. Eh bien, cette scène

se passe précisément au premier soir de Pessah, la célébration de la sortie d'Égypte du peuple juif. Cette première veillée on l'appelle le *seder*, celle durant laquelle on lit jusqu'à l'aube la Aggada, le récit de la libération. Donc que font le Christ et les apôtres au cours de cette nuit-là ?

Silence. Des bruits de seau d'eau au fond du couloir captèrent l'attention générale. Franck, stimulé par des roulements de tambours au fond de sa boîte crânienne, clama dans la salle :

– Et bien, ils lisent la Aggada pardi !

Consternation générale de l'assemblée.

– Jésus et ses apôtres relisent ensemble l'événement majeur de la fuite des Hébreux hors d'Égypte. Ils commémorent le principe fondateur de l'histoire d'Israël en tant que peuple. Ils se rappellent, à travers la lecture de la sortie d'Égypte, la naissance de la liberté. D'esclaves, ils sont devenus des hommes libres. C'est ce qu'ils relisent au cours de cette fameuse Cène ! Alors, maintenant comment sait-on cela ?

Sylvia et ses camarades de classe n'en avaient aucune idée. Le muezzin de la proche mosquée couvrit le mutisme général. Le nez dans son cahier, chacun prenait des notes. Franck croisa le regard de Sylvia qui avait levé la tête une fraction de seconde.

– Sylvia, on sait cela comment, qu'ils étudient toute la nuit, comme le requerrait le *seder* ?

Elle ne s'attendait pas à être interpellée. Le sang monta

à ses joues. Elle ne les avait pas senties aussi pleines et chaudes depuis bien longtemps. Juste avant d'être saisie par la question de Franck, elle trouvait la situation très romanesque : écouter un jeune maître talmudique au cou blanc comme lait parler de Pessah et du Christ, tout en étant bercée par le Coran chanté dans le lointain. Son air ahuri détourna aussitôt le regard du professeur qui changea d'interlocuteur. Sylvia cacha sa honte dans son cahier. Elle ne se blâmait pas de ne pas savoir la Aggada du Christ, elle s'en voulait de ne pas avoir véritablement prêté attention à Franck, de ne pas avoir cherché à le suivre avec une pure attention. Elle avait été débusquée comme une consommatrice d'informations, et surtout elle s'était fait prendre encore une fois au jeu de sa propre fiction : une Sylvia écoutant des histoires merveilleuses en plein processus de conversion. Il ne fallait plus que cela se reproduise. Sa vie fictive était derrière elle.

Quelques gargouillis intestinaux commencèrent à se faire entendre de chaise en chaise. Franck réveilla les affamés.

– Au chant du coq, l'un de vous m'aura trahi !!! Ça n'est pas la nuit de Pessah ça, *au chant du coq* ?

Imperturbable, l'auditoire apprenait la nouvelle.

Franck insista.

– Miguel ?

Ce dernier s'était déjà habitué aux petites questions insidieuses et affectueuses de Franck. Il rit en silence.

Odette murmura alors, de sa voix de souris grise :
– C'est Judas qui trahit, mais si je me souviens bien,
le Christ s'adresse à Pierre.
Franck fut soulagé. Quelqu'un était là, quelqu'un s'inter-
rogeait avec lui.
– Oui, Odette, c'est Judas qui trahit. Il a vendu le Christ,
pour quelques malheureux deniers, par-dessus le marché.
Il se frotta à nouveau le front de façon énergique.
– Allez, on continue ! Maintenant, pourquoi la nuit de
Pessah, c'est le *hidouch* par excellence ?
Franck voulait en finir avant le déjeuner.
– Hé ! Oh ! Il faut me demander tout de suite : « Mais
Franck, c'est quoi le *hidouch* ? »
Il lança ses reins en avant comme pour accentuer
l'interrogation dans la tête de ses convives éberlués.
Émile regarda sa voisine, mais Sylvia, bien que sentant
ses yeux posés sur elle, ne chercha pas le contact. Elle
n'était pas prête à partager sa difficulté.
– On y va ! On cherche !
Panique dans le cœur de chacun et gargouillis dans les
ventres de tous.
Sylvia se lança et ne reconnut pas sa voix, timide,
quasiment éteinte.
– C'est la célébration de la liberté ?
Franck fut un peu déçu mais opina pour ne pas laisser
Sylvia en reste.
– Mouais, mais est-ce que la liberté est acquise, une
fois l'exil enclenché ?

Coralie, après un bâillement réprimé, se lança :
– J'imagine que la liberté est fragile, c'est pour cela qu'elle est réétudiée sans cesse ; le plus difficile est-il d'être libre ou d'être soumis ?

La tête de Franck dodelina de satisfaction. Voilà une élève qui commençait à émerger du contre-jour. Il se balança d'avant en arrière pour se donner un regain d'énergie.

– Pas loin, pas loin. Disons que Pessah sanctifie le nouveau, justement parce que le nouveau n'est jamais acquis, jamais donné. Ce qui est donné, c'est le monde. Ce qui est à acquérir, à créer, c'est le *hidouch* qui signifie littéralement : le Surpassement. La première *mitsva* qui a été donnée au peuple d'Israël, le premier commandement, c'est de sanctifier le renouveau, de célébrer la création permanente. D'affirmer qu'il n'y a pas de répétition. Affirmer que rien n'a jamais eu lieu deux fois. Voilà ce qui se dit entre le Christ et ses apôtres, ce soir de *seder*, ce fameux soir de la Cène. Exemple, Sylvia, on est quel jour ?

Sylvia jeta un œil furtif vers le calendrier de son portable mais Franck n'eut pas la patience d'attendre.

– On est le 13 septembre 2013, Sylvia ! Or ce jour n'a jamais eu lieu, on est dans un *hidouch* extraordinaire quand on y réfléchit bien. Mais pour cela, il faut être éveillé.

Il continuait de tanguer d'avant en arrière sur ses

semelles usées. Il scruta Émile qui lui répondit par un sourire béat.

– L'homme est né pour le *hamal*, pour la peine. Il doit travailler. Travailler et étudier. Il faut rester « éveillé ». Puis il regarda brusquement l'heure au-dessus de la porte.

– Allez, pause maintenant. Bon déjeuner.

Il attrapa sa casquette accrochée à l'angle du tableau, fit un petit signe enfantin à ses élèves et disparut rapidement.

Le groupe était estomaqué. Depuis leur enfance, on les avait sermonnés pour qu'ils se couchent tôt. Franck venait de leur dire qu'il ne fallait jamais dormir. Ou presque pas. Chacun capuchonna son stylo, referma son cahier de notes précieuses, de peur qu'elles s'envolent. Dans un silence perturbé, les élèves cherchaient des yeux une connivence qui se dérobait au moment où la pupille était sur le point d'en rencontrer une autre. Chacun protégeait son émotion et sa fraîche acquisition. Regarder l'autre, c'était courir le risque de voir s'évaporer ce qu'on semblait avoir perçu de nouveau en soi. Il ne fallait pas diluer la fragile réflexion suscitée par Franck dans un sourire faussement complice. Voilà pourquoi Sylvia baissa les yeux et sortit peu après Franck.

Elle se dirigea vers les toilettes. Au moment où elle pénétrait dans les lavabos, Franck poussa une porte derrière laquelle se remplissait déjà le réservoir de la chasse d'eau. Il sourit à Sylvia tout en pressant le distributeur de savon.

146

– Alors, Sylvia ? Cette première matinée ?
À mi-chemin entre la porte à battant de l'entrée et celle
des toilettes, elle tangua d'incertitude.

– Un peu fatiguée.

– L'exégèse, ça active les méninges, dit Franck en passant ses mains sous le filet d'eau.

À travers le miroir, il adressa à Sylvia un rire fripon
et gêné à la fois tout en secouant ses doigts pour en
libérer les dernières gouttes d'eau. Franck, plein à ras
bord d'exégèses, n'avait pas peur de sourire, quitte à
en perdre un peu au passage. Sylvia eut le temps de
constater que ses dents avaient une forme enfantine.
Elle se demanda ce qu'il pouvait croquer avec des
dents aussi tendre, d'autant que son prénom évoquait la
brisure et la cassure. Elle s'engouffra dans les toilettes
puis attendit que Franck soit parti pour faire entendre
à qui voudrait, c'est-à-dire à personne, les froissements
de son déshabillage. Franck, érudit talmudique, poussait lui aussi les portes des toilettes. Sylvia fut saisie
d'une d'émotion vive en pensant à l'animalité de son
nouveau maître.

Éblouie par le soleil à son zénith, elle traversa le jardin
de l'hospice. Quelques touristes prenaient le thé, d'autres
faisaient défiler avidement vidéos et *selfies* qu'ils avaient
pris au cours de la matinée. Odette s'assit à l'ombre d'un
figuier et déballa son déjeuner. Jean-Guy se jeta sur la
carte du menu. Miguel passa le porche antique et disparut dans le brouhaha de la rue très animée. Aussitôt

qu'il referma la lourde porte, le silence revint. Chantal interrogea son téléphone portable tout en ouvrant une barquette de macédoine de légumes. Coralie avait les yeux dans le vide.

« Essorée d'exégèse », se dit Sylvia en l'observant rapidement.

Elle n'avait rien prévu pour le déjeuner mais ne voulait pas rester et converser avec ses nouveaux partenaires. Elle avait le temps d'aller se rassasier dehors. L'étendue des restaurants pour touristes serait une parfaite promenade pour reprendre des forces physiques et introspecter ce qui, en elle, n'avait pas bougé et ce qui avait déjà pu se déplacer, s'améliorer, tels les bénéfices ressentis après une séance d'ostéopathie. Elle voulait savoir si son regard sur le monde avait déjà changé, si les effets étaient immédiats. Dans la rue, les mêmes touristes piétinaient devant elle, comme s'ils avaient eu le temps de faire le tour de la ville pendant sa matinée de cours pour la reprendre au passage. Elle s'efforça de ne pas s'énerver derrière eux. Elle avait une chance qu'ils n'avaient pas. Elle était investie d'un désir si fort de dépassement, d'humanisation, de *hidouch* donc, qu'elle resta humblement derrière leurs nuques rosées et transpirantes. Elle avait mal à la tête. Mais savoir qu'elle souffrait de trop d'exégèse, effort situé sans doute en haut à gauche de la boîte crânienne – un endroit du muscle cérébral qu'elle n'avait peut-être jamais stimulé de sa vie –, lui donna un sentiment proche de la miséricorde pour les profanes touristes vénérant le parapluie dressé qui les guidait. Sylvia n'arrivait pas à choisir le restaurant qui saurait l'accueillir. Elle acheta un panini *to go* et continua son chemin. Devant une boutique d'antiquités, elle ne put s'empêcher de jeter un œil vers un bel homme à la barbe finement taillée, droit comme un I dans sa djellaba bleu ciel. Il était musulman mais sa ressemblance avec un ami juif de ses cours de théâtre était frappante. Elle passa devant lui en cachant coquettement sa bouche qui mâchait le pain, mais l'homme fixait son attention sur un point invisible.

Les hommes, c'était un fait, ne la voyaient plus. Ils l'avaient regardée depuis son adolescence et elle avait aimé cela. Leurs regards la rassuraient. Et puis un jour, les hommes avaient cessé de la voir. Elle avait pourtant le même visage, le même corps. Elle se déplaçait toujours aussi nonchalamment qu'au cours de son adolescence. Elle avait vieilli certes, mais pas de façon flagrante. Non, c'était autre chose. Durant une nuit, une fatale nuit, au cours d'un rêve dont elle n'avait plus le souvenir, cette chose qui faisait que les hommes la regardaient s'était éteinte. Une nuit. Mais cela pouvait très bien s'être passé au cours d'une autre circonstance. Peut-être un homme, dont elle souhaitait le regard sur elle, n'avait-il pas répondu à son désir. Il avait peut-être suffi d'un homme. Mais lequel ? Un homme, parmi les centaines qu'elle croisait par jour, avait fait en sorte que *son petit quelque chose à elle*, son charme propre disparaisse. Un jour, un regard masculin n'avait pas fait le point sur elle, ne serait-ce qu'une seconde, et tout s'était éteint. C'était cela. Dans la réalité ou dans un rêve, l'œil d'un homme avait glissé sur l'être de Sylvia sans la voir et elle en avait disparu.

Elle s'engagea dans une ruelle, slalomant entre les corps des badauds pour protéger ses bouchées de panini ; la faim se calmait peu à peu et, nourrissant son cerveau, son optimisme réapparut. Il ne fallait jamais qu'elle oublie de manger, car la tristesse, qu'elle pensait un héritage familial ou un syndrome propre à elle, s'emparait d'elle aussitôt que son corps faiblissait. Ragaillardie, Sylvia projeta de vivre pour le restant de ses jours dans cette ruelle qu'elle longeait. Une petite pièce composée d'un lavabo, d'un matelas, d'un tabouret et d'une table, rien d'autre. Réveillée avant l'aube par le fracas des rideaux de fer soulevés par les commerçants, l'oreille caressée par le frottement des balais des nettoyeurs sur les pavés foulés depuis la nuit des temps, elle s'habillerait à la hâte pour aller devant le Mur des lamentations, juste au bout de la rue. Vivre en sentant sa Présence continuellement, être en état perpétuel de recueillement, dans un retrait intense au cœur du monde, ce serait là une vie exceptionnelle. Elle serait en éveil, comme l'avait enseigné le matin même son nouveau maître. Elle vivrait le *hidouch* dans la proximité du mur porteur de l'humanisation. Elle n'aurait plus jamais besoin du regard des hommes. Elle se réveillerait en pleine nuit, le corps mu par une énergie d'enfance. Elle sortirait dans l'obscurité, croiserait les chats errants et des hommes pressés, déboucherait sur l'esplanade, passerait le contrôle les mains vides et s'approcherait du mur comme auprès d'un père réservé mais aimant. À n'importe quelle heure le rejoindre, Lui. Être émue continuellement, à la vue des priants, des repentants, des amoureux, communier avec eux dans la joie incomparable de cette proximité. Présente au monde et à elle-même dans une solitude extatique et glorieuse. Quel autre but dans la vie, quel autre accomplissement pouvait-elle espérer de mieux ?

La journée, elle irait rendre visite aux isolés des maisons de retraite ; elle poserait sa main sur leurs mains tannées et déformées, leur allumerait des cigarettes, calmerait les différends. Les vieux messieurs auraient les larmes aux yeux, l'enjôlant d'un « pourquoi je ne vous ai pas rencontrée dans ma vie d'homme ? », les vieilles dames la regretteraient comme fille aimante ou belle-fille dévouée. Les visiteurs lui céderaient le passage dans les couloirs, elle hocherait délicatement la tête en les ignorant presque, non pas par mépris mais par principe : celui de ne pas être dans la séduction. Voilà pourquoi les hommes la regarderaient à nouveau : ils ne le supporteraient pas.

À la fin de sa dernière bouchée de panini, Sylvia entend déjà le bruissement de l'esplanade, le silence nappé de rumeurs. L'ambiance est plus vive que la veille au soir. Il y a du monde et le soleil est presque au zénith. La veille, son ami Michael lui a dit qu'au fond d'un couloir, au pied du mur « des hommes », s'entassent des sacs plastique pleins à craquer de prières écrites, pliées et repliées et enfoncées entre les fentes peu profondes des pierres saintes. Mais les petits talismans de fortune finissaient toujours au sol, expulsés par d'autres plus épais. Ils chutaient brusquement à la façon d'un insecte las à la vitre d'une fenêtre. Les vœux, les suppliques, les demandes de vies plus heureuses ou juste moins malheureuses, pour des milliers de foyers, dans des langues étrangères les unes aux autres mais communes de foi et d'humble ardeur, souhaits écrits sur un ticket de caisse trouvé au fond du sac ou sur un parchemin miniature transporté depuis le pays d'origine, toutes ces demandes au divin, tôt ou tard, étaient balayées. On avait beau avoir le bras long et coincer sa prière le plus haut possible, il y avait toujours un bras plus long pour lui prendre sa place. C'était une sorte de lutte de vœux dont tous sortaient perdants, poussés par le balai, pour finir mêlés les uns les autres et enterrés dans la fosse commune réservée aux prières à Dieu. Sylvia se demande quel vœu vraiment sincère elle peut inscrire sur le ticket de métro parisien usagé qu'elle vient de trouver dans son porte-monnaie. Elle peut souhaiter de tout son cœur une longue vie à ses parents, sans vieillesse douloureuse, ainsi qu'à ses amis, la paix sur la terre et la guérison des enfants malades, l'arrêt du réchauffement climatique, mais elle ne sait pas si c'est la trop forte chaleur du soleil qui empêche son désir de prières ou le fond de son cœur qui n'est habité par aucun souhait durable. Un couple s'approche d'elle. Il est jeune. La femme, sous sa large jupe, est très enceinte et l'homme, coiffé d'une casquette de base-ball, vêtu d'un pantalon noir et d'une chemise blanche, pousse un jeune enfant endormi dans sa poussette, alors que deux petites filles traînent derrière le couple, se chamaillant en américain. Le jeune homme les sermonne, les regardant à peine, ne prenant pas au sérieux les coups de pied qu'elles s'envoient, du bout de leurs sandalettes poussiéreuses, sur leurs chevilles gainées de collants trop grands pour elles. Sylvia se demande si revêtir ses enfants de sexe féminin avec les vêtements les moins gracieux et les moins coquets possibles est un but en soi. Le benjamin endormi est mieux loti. Pantalon de coton léger, chemisette à carreaux, ses longs cheveux blonds et bouclés ondulent sous le souffle de l'esplanade. Les fillettes, couvertes d'acrylique de la tête aux pieds, se défoulent l'une sur l'autre de leur inconfort physique. La mère élève légèrement le ton tout en s'asseyant près de Sylvia. Les filles cessent aussitôt de se chercher querelle et viennent s'installer de part et d'autre de leur mère. L'une d'elles vient coller son flanc contre celui de Sylvia, qui maintenant examine le père. Il a réveillé l'enfant endormi et se dirige vers la gauche du mur. Ils dévalent, main dans la main, la pente qui les mène au lieu de prière. Sylvia jette un œil à la jeune femme : elle les suit d'un regard d'une telle tendresse que Sylvia est saisie d'effroi. Elle n'a jamais créé de famille, car il aurait fallu, pour cela, être habitée par cette clémence dont est dotée sa voisine. La douceur ne venait pas parce qu'on construisait un foyer heureux. On construisait un foyer heureux parce qu'on avait, comme atout de base, le regard indulgent de cette mère. Sylvia espère soudain qu'au bout de sa conversion lui soit donnée la mansuétude de sa voisine. Elle est sur le point d'écrire sur le ticket de métro : « Dieu d'amour, donnez-moi la tendresse », lorsqu'elle sent une présence familière. Assis en tailleur à même le sol, Émile l'observe sans doute depuis un moment. Il lui fait un léger signe de connivence puis se lève comme un enfant qui commence à peine à marcher. Il avance vers elle. La mère et ses filles se lèvent à leur tour et se dirigent vers le mur des femmes. Elles croisent Émile qui sourit toujours à Sylvia.

– Un véritable hippopotame, pense Sylvia alors qu'Émile est de plus en plus proche.

Elle s'accroche désespérément à sa clémence comme à une mère invisible dont elle aurait saisi le giron pour se donner du courage.

– Je peux m'asseoir à vos côtés ? demande Émile.

Sylvia opine, jouant la femme timorée pour gagner du temps. Émile relève d'un pincement sec le haut de son pantalon avant de s'asseoir. C'est encore une chose que Sylvia ne comprend pas des hommes, ce geste de saisir par le pouce et l'index le tissu du pantalon au niveau du haut des cuisses et de le tirer légèrement avant de prendre la pose assise. Elle a expérimenté elle-même ce geste mais rien de très convaincant ne s'est manifesté entre sa peau et le tissu. Ce doit être une sorte de tic comportemental qui s'est transmis entre eux, comme de tenir le bord de son chapeau quand on passe devant une dame. Sylvia se dit que si Émile en avait eu un, il aurait d'abord pincé l'extrémité de celui-ci, puis il en aurait fait de même avec le haut de son pantalon. À côté d'elle, un sourire bienheureux sur les lèvres, Émile regarde le mur. Lui aussi l'aime. Tout le monde l'aime. Sylvia, malgré l'indulgence à laquelle elle s'agrippe, ne peut s'empêcher de penser qu'Émile aime le mur parce que tout le monde aime le mur, mais qu'elle, Sylvia, fait partie des rares à l'aimer jusqu'au vertige, jusqu'à l'oubli total de soi. Elle sent Émile à ses côtés. Elle ne peut s'empêcher de l'associer aux témoins de Jéhovah qui traînaient dans sa rue quand elle était enfant, sonnaient aux portes, se faisaient envoyer sur les roses et ne se démontaient jamais. Leur conviction était inébranlable.

– C'est votre premier séjour ici ? l'interroge paisiblement Émile sans chercher le contact visuel.

– Oui, murmure la réservée Sylvia.

« Le surpassement, le *hidouch*, c'est maintenant », se

convainc-t-elle. Si elle n'est pas capable, ici, de créer du meilleur en elle, elle n'y arrivera jamais. Émile est arrivé à point nommé. Alors le cœur de Sylvia s'élève soudain.

– Et vous, vous êtes déjà venu ?

Émile se tourne vers elle, tel un ange encourageant.

– Plusieurs fois, oui. Quand j'ai découvert Jérusalem pour la première fois, j'ai senti de toute mon âme que j'appartenais à ce lieu, à cette terre. Je ne m'y attendais pas ; j'étais un chrétien comme tant d'autres et j'étais venu en voyage organisé. Je visitais la terre du Christ mais c'est autre chose que j'ai ressenti. J'ai su que je rentrais à la maison.

Sylvia écoute Émile, le visage entièrement tourné vers lui. Le fond des yeux de son interlocuteur est légèrement jaune. Sylvia songe alors qu'il ressemble aussi à un reptile, à un crocodile plus exactement. Elle se remémore un livre pour enfants. Un petit garçon a perdu son nombril. Un crocodile lui garantit que son nombril égaré est sur son ventre d'écailles. Voudrait-il venir vérifier par lui-même ? L'histoire s'achevait ainsi. Pendant qu'il parle de sa Révélation, Sylvia se demande si Émile a un nombril.

– C'est pourquoi je suis ici. Parce que je veux rentrer chez moi, conclut Émile.

Il attend un peu que les mots résonnent en lui et vérifient l'authenticité de sa foi. Oui. Émile est en accord parfait avec lui-même. Il peut sonder Sylvia avec assurance.

– Et vous ?

Émile n'aurait jamais dû lui poser cette question. Jamais. Ce n'est pas parce qu'il est si sûr de lui qu'il peut se permettre de venir sur le jardin secret des autres en terrain conquis. Sylvia le trouve soudain obséquieux. Émile la cherche de son regard jaune. Sylvia, se ferme comme une huître. Personne ne saura ce qu'elle est venue chercher. Et ce n'est pas un Émile antillais ou martiniquais, élevé dans le paganisme tribal de ses ancêtres africains qui viendra aujourd'hui la déflorer du secret le plus précieux qu'elle a jamais eu : son amour pour Dieu. Elle fixe le mur et tente d'oublier l'homme assis à côté d'elle.

Sylvia poussa la porte de l'hospice. Le cours reprenait dans quelques minutes. Émile traînait derrière elle, observant une des *stations* du Christ, à l'angle de la rue. C'était une paroi baisée et caressée depuis des siècles sur laquelle Jésus aurait appuyé la main afin de reposer son corps chargé du poids de sa Croix. Puis il aurait entamé sa dernière ascension. Frottée et vénérée, la pierre avait fini par prendre une forme de main, à moins que quelqu'un ait creusé la roche pour rappeler que c'était là, précisément là que le Christ s'était affaissé. Sylvia se rappela sa mère qui se réclamait de la pensée de saint Thomas : celui-ci avait douté de la résurrection du Christ jusqu'au moment où il avait paru devant lui, le cœur, les mains et les pieds percés, mais vivant.

Est-ce que sa mère, voyant l'empreinte de la paume du Christ polie au fil des temps, aurait pu croire que c'était bien là, précisément là qu'il s'était reposé ? Il y avait ceux qui ne doutaient pas, leur cœur leur disait la vérité. Il y avait ceux qui, comme sa mère, « voulaient voir pour croire ». Et il y avait ceux à qui leur propre cœur ne disait rien et qui doutaient de tout, même de ce qu'ils voyaient.

Sylvia aperçut Chantal en pleine conversation avec Coralie. Chantal faisait de grands gestes tout en replaçant son étole qui dégoulinait sur ses grasses épaules dès qu'elle bougeait. Replacer le tissu faisait partie du bavardage, autant que ses mots et ses gestes amples. Coralie écoutait en clignant ses yeux ronds. Le carillon de l'hospice sonna quatorze heures. Chantal rattrapa encore son châle juste avant que celui-ci ne quitte ses bras.

– Il est encore chaud !

Elle désigna à Sylvia la théière qui était posée devant elle. Sylvia déclina l'invitation d'un sourire chaleureux et d'un *non merci* qui lui serra le sternum. Puis elle disparut à l'intérieur du sombre couloir. Il avait été savonné. Les émanations citronnées lui rappelèrent l'école primaire, et cet instant très précis, quatorze heures, où il fallait reprendre le cours. Le soleil, au zénith, entamait déjà sa descente. Quatorze heures était toujours le moment où le monde et son sens s'écroulaient dans la tête de l'enfant. Elle ne savait plus soudain pourquoi elle faisait les choses, traînant des pieds dans le couloir de l'école, accrochant ses habits extérieurs au portemanteau pour les cours de l'après-midi. À l'instant où elle sentait l'astre à son firmament, elle en pressentait déjà le déclin. Elle vacillait alors dans l'angoisse et l'urgence de se cacher dans les bras de sa mère : le rythme du monde lui était insupportable.

Une porte s'ouvrit brusquement sur le côté du long couloir. La jeune femme qui s'était trompée de classe le matin même sortit d'une pièce, les yeux irradiant d'un éclat singulier. Elle s'éloigna en ondulant fiévreusement à petits pas, telle une geisha. Sylvia entra dans la salle de conférence ; Odette faisait une sieste, droite sur son petit dos d'enfant. Jean-Guy relisait ses notes, circonspect. Franck, planté face au lutrin, ses mains de part et d'autre d'un grand livre, fixait la page de droite comme un chat observant une fourmilière. Les tables avaient été déplacées, rassemblées en un grand rectangle. Des livres religieux avaient été déposés et étalés au centre, comme la pioche d'un jeu de cartes. Sylvia en profita pour s'attribuer une nouvelle place, loin de Chantal qui avait laissé son sac béant sur sa chaise. Franck releva soudain la tête.

– Ah Sylvia, j'ai pensé à vous. Je regrettais d'avoir laissé votre prénom orphelin de judéité. J'attends que tout le monde soit là pour faire ma démonstration, car ce sera aussi l'objet de mon cours.

159

C'est ainsi que Sylvia apprit que dans son prénom, il y avait trois *youd*. Deux pour le *y*, ', et un dernier pour le *i* final. Le *youd* était aussi la plus petite lettre de l'alphabet hébraïque. Il indiquait le point de conjonction entre l'infime et l'absolu. Franck bifurqua vers le passage de la Génèse 2-7 et expliqua que, dans la phrase *Vayitser et haadam – Il forma l'homme –*, *vayitser* avait également deux ' comme dans Sylvia, alors qu'un seul aurait suffi. Cela avait rendu perplexes les sages car le premier ', le *yi*, de *vayitser* était la marque classique du futur, c'était entendu, mais le deuxième ', toujours du même phonème *yi* n'étant pas nécessaire, représentait une anomalie. Ils en conclurent que le ' en trop était la trace du monde futur déjà inscrit dans ce monde-ci, à la manière d'un point, d'un petit signe minuscule et quasi imperceptible. Franck se fit un plaisir d'ajouter que le *va* de *vayitser* transformait le futur de *tser* en passé. C'était le phénomène du big-bang, compacté en un seul mot.

Sylvia ne l'entendait pas ainsi et n'envisageait pas la collision des temps. De plus, elle avait vite décroché, obnubilée par la lointaine croyance que son *y* était proche de la lettre ʏ, *ayin*, et persistait à le croire.

– Mais mon *y*, je veux dire le *y*, se ressaisit Sylvia avec une voix onctueuse et feutrée, ne représente-t-il pas, dans la symbolique des lettres hébraïques, l'œil du visage humain ?

Si Franck, légèrement déçu par l'insatisfaction de son

élève, eut envie de saisir son faux ע, ce fut pour faire une petite leçon globale sur l'*ayin*, qui signifiait bien l'œil et la source mais n'avait rien à voir avec le *y* de Sylvia, même s'il lui ressemblait vaguement. Il en profita pour bifurquer vers le Moyen Âge – marqueur noir en main sur le tableau blanc pour accompagner sa démonstration –, période durant laquelle se développa la kabbale, le mouvement mystique juif. Pour ce courant religieux, l'œil ne se contentait pas de recevoir des impressions du monde extérieur mais une lumière en sortait, un éclat particulier qui se reconnaissait par exemple entre deux êtres qui vivaient simultanément le coup de foudre en croisant leur regard. Sylvia rougit : l'amour sidérant était dans son ע.

Franck fit allusion au livre du *Zohar*, l'ouvrage majeur des kabbalistes, qui parlait des deux yeux qui ne feraient qu'un dans le monde supérieur, après que chacun a découvert le *Quelque chose*, le *Eich*, qui est dans l'œil de tout autre. Or pour voir l'œil de la réalité divine dans celui de son prochain, il fallait commencer par en contempler la pupille. La lumière se manifestait tout d'abord en un point, un *youd* – Franck regarda dans la direction de Sylvia – qui ensuite traçait une ligne, un *qav*, pour se projeter en un cercle ou *igoul*, qui était comme l'œil. L'œil par lequel nous voyions Dieu était le même que celui par lequel Il nous voyait. C'était cela qu'il ne fallait jamais oublier. La pupille, *ichon*, avait pour valeur numérique 16. Ce nombre 16 était aussi la valeur numérique de *vav-youd*, les deux lettres du tétragramme, le nom le plus sacré, le macro- et le microcosme.

Sylvia écoutait. Son ץ restait tapi au fond de sa source et, sans en démordre, elle chercha, sur son cahier, une nouvelle façon d'écrire son prénom : Sץlvia.

– Maintenant quoi ? proféra brusquement Franck, comme pour se réveiller.

Il planta ses prunelles noires, ses friponnes *ichon* dans le *igoul* médusé de son audience. Sץlvia releva la tête, satisfaite de la forme apparente de son nouveau prénom. Franck fit le point sur elle, tel le *qav* cherchant le *youd*. Mais il n'en entrevit que l'infime partie, l'autre étant occupée à chercher son absolu.

– Maintenant, j'ai envie de vous parler de Moïse, qui, avant de pénétrer en Erezt Israël, a frappé le rocher pour en faire jaillir de l'eau, pour qu'une source coule et abreuve son peuple assoiffé. Or Moïse mourut quelque temps plus tard. Il n'entra jamais dans le pays vers lequel il avait guidé son peuple. Pourquoi ? Il y a des interprétations, comme toujours. Jamais une seule version d'un événement factuel. Jamais.

Franck insista en direction de Sylvia qui ne se sentit pas concernée.

– Moïse, pourrait-on dire, est dans un manquement au monde, parce qu'il a frappé le rocher au lieu de lui parler. Il a cru en la fatalité de la nature. Alors, oui, le rocher a donné de l'eau, mais parler au rocher aurait aussi produit de l'eau. Donc, être au monde, n'est-ce pas comprendre la nécessité de la parole qui doit briser la pierre – rocher du cœur – pour que l'eau en jaillisse ? Les lèvres rouges de Franck avaient pâli, comme soudainement poudrées de talc. Chantal prenait des notes sur son iPad, tapant du bout de ses deux index vernis, sans que personne, surtout pas Sylvia, ose lui demander de cesser le petit bruit horripilant. Elle leva la main, non sans avoir tenté une pleine inspiration infructueuse.

– Je pense que l'eau dont vous parlez vient des yeux. Étant donné que vous êtes parti de l'*ayin* de Sylvia...

Chantal mima des guillemets pour minimiser l'expression *ayin de Sylvia*, ce qui froissa beaucoup l'intéressée.

Jean-Guy intervint alors, galvanisé, pointant frénétiquement le capuchon de son stylo sur ses notes minutieuses.

– Oui, cela me rappelle ce poème de Paul Celan, à propos du rocher, mais dans le vers il s'agit de la pierre. Je me souviens de ce passage : *Ton œil aussi aveugle que la pierre.* L'eau vient de l œil, le rocher de Moïse produit la source, la pierre et l'œil sont aveugles, aussi arides l'un que l'autre, mais tous deux offrent l'eau.

Franck se balança d'avant en arrière, radieux.

– Mais alors, Jean-Guy, continuons. Quelle est cette eau ? Cette source, jaillissant du rocher frappé par Moïse, qui lui-même n'a pas usé de la parole et qui donc ne verra pas l'Erezt Israël, cette source, qu'est-ce donc ? Cette source, cette parole, c'est quoi ?

Les oreilles se dressèrent à nouveau vers le chant du muezzin.

– Oui ? quelqu'un ? Allô ?

Franck s'impatientait vraiment pour la première fois.

– Allez, Jean-Guy !!! « Ton œil aussi aveugle que la pierre »...

Mais Jean-Guy était dans l'impasse. Ses méninges avaient calé devant la roche. Franck partit à sa rescousse et l'accompagna pour qu'il s'en approche avec confiance.

– Imaginez, l'œil, aveugle, fermé comme une pierre, je le ferme et je regarde son *en-dedans*. Qu'est-ce qui se passe si je regarde vraiment l'en-dedans de mon être, l'œil qui ne peut se voir lui-même ? Qu'arrive-t-il ?

Sylvia cherchait elle aussi à l'aide de l'infiniment petit de son *youd*, la jonction avec son *youd* absolu, mais ils n'arrivaient pas à se rejoindre pour résoudre l'énigme.

– Cela ne serait-il pas le recueillement par excellence ? s'exclama Franck comme un coup de cymbales. Si je retourne à l'état de post-création, à l'état de la pierre, à l'en-dedans de ma source, n'est-ce pas là que peut se produire quelque chose ?

Émile sourit. Il voyait la lumière au bout du tunnel. Odette aussi. Chantal tapotait. Le muezzin chantait toujours derrière les baies vitrées. Lui savait pour la pierre et la source.

– Alors ! Qu'est-ce qui pourrait se produire, à l'état de pierre ? insista Franck.

Odette murmura, presque pour elle-même :
– La prière... C'est la prière, n'est-ce pas ?
– Oui, la prière, Odette ! cria Franck. Car, dans le mot *pierre*, scanda le jeune maître, il y a le mot *prière*. La parole de prière brise la pierre et fait surgir l'eau. Et cette eau libérée, on pourrait oser dire que ce sont les Larmes. Voilà. Une véritable prière, c'est quand on considère son cœur comme des murs de pierre qu'il faut ouvrir, qu'il faut ébranler, pour que l'eau jaillisse ! Or Moïse n'a pas cru en sa capacité à briser son cœur pour laisser se déverser son émotion pure. Il a frappé le rocher... Oui ? Non ?

Franck riait. Il agita ses doigts au-dessus de sa tête comme pour imiter des petits feux follets. Les élèves suivaient des yeux les flammèches invisibles.
– On tente, on cherche ensemble... Regardez l'extraordinaire. On est parti des *youd* de Sylvia, on a dérivé vers l'*ayin*, et nous avons débarqué sur les rives de la prière. N'est-ce pas une journée pleine de *hidouch* ?

C'est ainsi que Franck mit ses élèves au parfum de ce que devait être la vie quotidienne dans le monde de l'étude, une aube éminemment opaque, mais d'où la lumière dominait justement, par son absence.

*

Sylvia suivait Michael avec peine. Absorbée par la beauté des fruits et des légumes du marché, leur profusion sur les étalages, elle était en plein apprentissage de la veille de chabbat. Il était quinze heures et les marchands bradaient, comme tous les vendredis après-midi. Depuis deux chabbats que Sylvia était arrivée, elle avait réalisé combien cette fête dominait le quotidien de Jérusalem. Michael en parlait à partir du mercredi soir, énonçait les courses qu'il devait faire, la famille à inviter, celle du vendredi soir, celle du samedi soir, ceux chez qui ils iraient le samedi midi après la synagogue, ainsi que ceux qu'il ne fallait pas oublier d'inviter chabbat en huit, ou en seize. Le mot *chabbat* était cité plusieurs fois par jour, dès le samedi soir, alors que le recueillement hebdomadaire se terminait à peine. La vie de Michael et de tant d'autres ressemblait à un point de couture régulier jusqu'à l'apparition de la première étoile du vendredi soir. À ce moment-là, plus rien n'était autorisé que la prière et la réjouissance du travail accompli. Aucun bruit dans la rue, aucune voiture, aucune télévision allumée, aucune radio babillarde, juste les conversations, à la croisée des trottoirs, des pratiquants allant vers leurs synagogues. Suivaient les paroles échangées à la sortie de celles-ci, après l'office du samedi matin : les perpétuelles questions quant à la santé des uns et des autres, la visite tant attendue d'un cousin ou d'un fils parti à l'étranger, le passage obligé sur les événements politiques. Puis tout le monde repartait, endimanché, vers le repas préparé depuis la veille. Chabbat ressemblait au spectaculaire *underwater flip*, cette pulsion que se donne un nageur de compétition, lorsque après une dernière inspiration, il exécute un retournement subaquatique contre le muret du bassin afin d'entamer le cinquante mètres suivant. Le silence dans la culbute du nageur, la torsion de son corps, sa propulsion, c'était ce qu'évoquait chabbat pour Sylvia ; ni tout à fait le même, ni tout à fait un autre, toujours un peu plus parfait, toujours un peu plus puissant. Voilà ce à quoi elle pensait tout en étudiant chaque fruit évalué, soupesé, puis acheté par Michael. Car, outre ce rendez-vous immanquable du chabbat, il y avait aussi les courses à faire avant l'immersion de vingt-quatre heures. Mais pour s'affoler à partir de quinze heures comme ils le faisaient tous, encore aurait-il fallu que Sylvia aime cuisiner, encore aurait-il fallu que Sylvia ait un foyer, encore aurait-il fallu qu'elle sache prier. Sylvia n'aimait, n'avait, ni ne savait. Tous ces gens inquiets, suspendus à la course du soleil, qui portaient leurs sacs à provisions, seraient dans quelques heures délestés enfin de tout fardeau – interdiction sabbatique oblige. Ils seraient dévoués à la réjouissance pure. Cela prenait des années et cela finissait par se vivre pleinement, à force de rabâcher les mêmes mots et les mêmes gestes. « Nous ferons et nous entendrons », était-il écrit dans l'Exode 24-7. Ces paroles que les Hébreux s'étaient dites comme pour se donner du courage avant d'entrer sur la terre d'Israël, Sylvia se les remémora pour elle-même et calma son anxiété à l'idée de devoir faire chabbat chaque semaine, dès à présent et jusqu'à la fin de ses jours. Elle deviendrait, elle aussi, une nageuse de fond.

Elle se réjouissait de rencontrer Éliezer qu'elle n'avait pas vu depuis la fin de son enfance. C'était le frère de Michael. Elle avait un vague souvenir de sa petite silhouette dans les couloirs de l'école, lorsqu'elle-même entrait dans la classe avec Michael et que le petit frère pénétrait sa section de CP. Ils avaient trois ans d'écart. Elle convoitait du regard les jeans qu'il portait, en velours à côtes semi-épaisses, qui venait de la boutique de son père. Sylvia, que ses parents refusaient d'emmener dans le magasin sous prétexte qu'il était trop onéreux pour eux, ce qui était probable, commandait ses pantalons sur catalogue. Mais jamais ce dernier ne proposait de jeans à côtes semi-épaisses. Elle se rappela aussi les grands yeux en amande du petit garçon, ses longs cils sombres battant avec langueur. Elle se souvint aussi qu'elle n'aimait pas que Michael appelât son jeune frère Zézé. Encore ce soir, avant que la famille se tût et qu'Éliezer récitât la première prière, Michael l'avait appelé par son surnom. La femme d'Éliezer alluma les bougies rituelles. Sylvia observait cette famille nombreuse : huit enfants, un garçon, sept filles. Tous recueillis, tous murmurant les mots dévots destinés à Dieu. Elle suivait des yeux Éliezer qui se déplaçait devant sa progéniture et la bénissait en posant sa large main sur les têtes immobiles. Sa femme reçut elle aussi une bénédiction susurrée juste pour elle et en fut pénétrée. Tous avaient l'air passionné par ce moment qu'ils vivaient ensemble, comme si cette soirée était une grande première. Ces adultes, qui avaient « fait » et avaient « entendu », bénissaient leurs enfants avec une ardeur tendre et enveloppante, à peine démonstrative. L'aîné des enfants, un adolescent de seize ans à la moustache et à la barbe déjà bien visibles, ferma les yeux sous la chaude paume de son père, déposée sur sa fontanelle comme un gros oiseau qui s'attarde sur un petit nid étranger. Sans doute le garçon sentait-il tout l'amour protecteur apaiser son cerveau échauffé d'adolescent. Il jeta malgré tout un œil amusé et séducteur en direction de Sylvia, tentant de brouiller la vision dont l'étrangère venait d'être témoin : celle d'un enfant sous l'aile de son père. La mère, enceinte, ou peut-être pas, mais on ne pouvait pas savoir, embrassa chacun de ses huit enfants, murmurant une bénédiction à chacun, une courte prière traditionnelle, mais si douce, si enracinée dans son cœur de mère, que ces mots étaient devenus les siens. Puis tout le groupe se mit en file indienne pour passer les mains sous le robinet de l'évier exclusivement consacré aux rites. L'amour et la joie semblaient les guider. La tendresse aussi. La tendresse et Dieu. Le père, guidant ses enfants, fit couler l'eau puis laissa sa place au grand adolescent, qui en profita pour asperger ses sept sœurs avec les gouttes qui couraient au bout de ses doigts, tout cela dans un silence absolu – de la fin de la bénédiction sur les mains jusqu'à celle sur les deux pains, plus personne n'ouvrait la bouche –, ce qui empêcha les jeunes filles d'exprimer verbalement leur mécontentement. Elles se protégeaient, mais trop tard, de leurs avant-bras couverts. Sylvia se retrouva la dernière à se passer les mains sous l'eau. Elle en éprouva un léger pincement au cœur. Elle arriva à la table alors que tous les convives étaient déjà autour d'Éliezer. Il soulevait maintenant la serviette recouvrant les deux pains nattés. Il n'avait pas totalement attendu que Sylvia les rejoigne pour entamer la procédure. Elle s'assit entre deux fillettes, l'une de sept ans, l'autre probablement d'un an de plus. Encore une fois, Sylvia eut une irrépressible envie de poser la tête sur les genoux de sa mère. Elle s'imagina se lever sans un mot, faire ses valises dans l'appartement clandestin, appeler un taxi, prendre le premier avion en partance pour la France, s'engouffrer ensuite dans un train, marcher dans les rues silencieuses de maisons de brique toutes identiques, sonner à la porte de ses parents, demander à sa mère de s'asseoir sur le canapé afin qu'elle puisse reposer sa tête.

Michael avait présenté à Éliezer son amie d'enfance alors que celui-ci sortait de son estafette garée au bas de l'immeuble. Vêtu d'un costume noir et d'une chemise blanche, sous le large feutre qui coiffait sa tête, il était impossible de savoir si Éliezer se souvenait ou non de Sylvia. Elle lui avait tendu la main mais il avait fait semblant de ne pas la voir. Sa douceur semblait savonneuse, sans prise directe avec ce que ses petits yeux de myope auraient pu remarquer, en l'occurrence Sylvia, une femme encore jolie, le corps svelte, tandis que lui-même aidait sa grosse femme à sortir de la fourgonnette.

Maintenant il était assis face à Sylvia, prenant la peine d'avaler consciencieusement ce qu'il avait mis dans sa bouche avant de parler. Lorsqu'il se lançait dans une réflexion, il semblait prendre appui dans les yeux de Sylvia. Puis il la quittait pour porter son attention sur ses enfants, sa femme ou son frère. Sylvia, ou l'espace qu'elle occupait, était une sorte de tremplin qu'il abandonnait aussitôt que sa pensée était clairement formulée dans sa tête. Elle se remémora certains de ses partenaires de jeu, sur un plateau de théâtre, de télévision ou de cinéma, quand ils évitaient de croiser son regard, soit que les deux interprètes s'insupportaient, soit par dédain, soit par pur plaisir de déstabilisation, ou encore par nécessité quasi vitale de se protéger de l'iris intransigeant de Sylvia. L'acteur fixait un point invisible entre les yeux de l'actrice, ou juste au bord de ses paupières inférieures, ce qui donnait l'illusion qu'il la regardait tout en évitant la rencontre de pupille à pupille, d'*igoul* à *igoul*. Le *qav* étant dévié, l'acteur se préservait de plonger dans l'en-dedans de Sylvia et d'y entrevoir son *Eich*, sa Flamme personnifiée. C'est peut-être cela qu'évitait aussi Éliezer.

Sylvia avait supplié Michael de ne rien révéler de la raison de son séjour dans la ville. Si bien que passées les questions d'usage sur son emploi du temps depuis son arrivée, qu'elle écourta faute d'une réelle expérience touristique, l'attention qu'elle aurait pu susciter se démobilisa vite. Seul le bel adolescent l'observait avec curiosité, sachant qu'elle était actrice. Mais que voyait-il ? Elle n'en saurait jamais rien. Elle était actrice pour être donnée à voir. Son en-dedans était invisible sauf pour celui qui oserait véritablement s'aventurer à l'intérieur. Le jeune homme, qui se penchait au-dessus de son assiette pour l'apercevoir, ne le pourrait pas. Sylvia jeta encore un regard vers Éliezer. Il venait de tourner son profil vers une de ses filles qui devait avoir huit ans. Elle lui ressemblait beaucoup : elle avait les paupières tombantes de son père, juste ce qu'il fallait de triste et langoureux pour attendrir et séduire à la fois. C'est alors que Sylvia se souvint. Comment avait-elle pu oublier ?

C'est un soir d'été. Éliezer a neuf ans. Elle en a douze. Ils passent leurs vacances ensemble. Elle a été invitée pour la semaine chez la tante de Michael, au bord de la mer. Sylvia revoit l'intérieur de la longère qui sent très fort la suie refroidie, une odeur grasse de bois brûlé qui émane de l'âtre éteint. La tante et son époux sont partis vivre en Israël peu de temps après. Le reste de la famille prendra le même chemin quelques années plus tard. Sylvia se rappelle que la plage et les rues sentent la vase, que le hameau est désert et humide. Sous le porche de terre battue, Sylvia et son ami Michael enfourchent leur vélo. Michael détale immédiatement. Sylvia fait de même. Derrière eux, Éliezer attrape son petit vélo et pédale le plus vite possible pour les rejoindre. Mais les cuisses des aînés sont plus longues, ils cherchent à se débarrasser de l'enfant par la vitesse. Sylvia tourne la tête pour jauger la distance qui la sépare de lui. L'enfant ne se décourage pas mais commence à gémir tout en pédalant obstinément.

– Attends-moi, Sylvia, supplie-t-il entre deux souffles. Elle se retourne légèrement et rit dans sa direction. L'enfant mouline sur son vélo. La route fraîchement goudronnée et ramollie par la chaleur estivale semble mousser sous les roues. Sylvia accélère toujours puis elle entend distinctement crisser les freins d'Éliezer. Il s'est arrêté brusquement. Surprise par l'abandon soudain du garçon, elle perd le contrôle de son guidon. Elle ne veut pas tomber ; elle a déjà fait une chute chez ses grands-parents la semaine précédente. Le pansement sur son genou la tiraille. Elle ralentit en tournant la tête, le sourire aux lèvres et une mèche de cheveux sur les dents. De loin, elle devine Éliezer, le petit visage déformé de chagrin.

– Mais moi, Sylvia, bredouille-t-il, furieux et hors d'haleine, moi je ne pense qu'à t'embrasser !

Il hoquette et gémit. Elle rit, l'œil mutin en direction de Michael qui semble n'avoir rien entendu. Le chant des alouettes a tout couvert. Elle lance un dernier regard vers Éliezer puis redresse son vélo et file droit devant elle. Elle se met en position de danseuse pour rejoindre Michael. Au moment de lui révéler la déclaration d'amour que le jeune frère vient de lui faire, elle se tait. Elle jette encore un regard par-dessus son épaule. Éliezer a disparu. Elle ne le reverra plus jusqu'à ce soir de chabbat.

Elle ne comprend pas de quoi ils parlent tous, autour de cette table, principalement en hébreu. Ils rient d'allusions fugaces qui lui échappent. Mais elle s'en fiche. Elle est encore sur son vélo. C'est la tombée du jour durant le plein été. Le petit Éliezer est retourné vers la maison familiale, moulinant pour lui seul son amour révélé. Les blés des bas champs ne sont pas encore coupés, le chant des alouettes invisibles invite à la beauté du monde, un chevreuil sorti des sous-bois observe les jeunes gens un long moment. Ils se sourient. Un vélo et le monde pour la vie. Un petit garçon vient de crier à la jeune fille qu'il ne pensait qu'à l'embrasser mais elle aime par-dessus tout la sensation de ses muscles tendus sous la pression des pédales, le vent qui soulève ses cheveux et lèche ses oreilles. Plus elle active sa monture, plus le vent la caresse. Voilà que s'annonce une descente. Le vent, fou de Sylvia, la possède plus encore. Elle plisse les yeux pour ne pas attraper de moucherons. L'amour, pour Sylvia à douze ans, c'est son corps qui dévale la pente, c'est cette joie-là qui la bouleverse : être vivante sur le Dieu-monde ; Dieu-arbre, Dieu-vent, Dieu-nuage, Dieu-épi, Dieu-chevreuil, Dieu-mer. Pour l'enfant Sylvia, Dieu est amour, Dieu est partout, sauf dans le cœur des hommes. Éliezer, plus de trente ans plus tard, père de huit enfants, a fini son assiette. Il ferme les yeux et murmure une prière du bout des lèvres, de cette même bouche qui lui a servi à crier à une jeune fille qu'il ne pensait qu'à elle. Tout ce que cette famille unie à cette table ne sait pas, Sylvia en a été l'unique témoin : le désespoir d'un garçon en proie à la naissance du désir. Ce que cet homme-là, mari attentionné, père chéri par tant d'enfants, avait eu de chagrin de se sentir si seul avec son pauvre amour, elle l'avait vu car elle l'avait provoqué. Éliezer ouvre ses grands yeux de girafon après avoir remercié Dieu d'être enfin rassasié. Il réajuste sa kippa d'un geste automatique alors que la coiffe n'a pas bougé d'un millimètre. C'est sa façon peut-être de revenir à lui. Sylvia a vu son maître Franck faire ce même geste. Maintenant Éliezer lève les yeux vers Sylvia et la fixe au niveau des paupières, d'un air interrogatif. Se souvient-il soudain, lui aussi ? Le cœur de Sylvia se met à battre très fort dans sa poitrine mais également dans son bas-ventre, ce qui lui cause une sensation désagréable et honteuse. Pourquoi ne se souviendrait-il pas ? Il n'y a aucune raison pour qu'il ait oublié l'émoi de ses neuf ans. La vie a passé sur son cœur et l'a recouvert comme l'écorce autour de la moelle d'un arbre. Mais cela n'empêche pas cette dernière de rester tendre et vivante, même protégée par des dizaines d'années d'études, de réflexions, de paternités et de responsabilités. L'enfant ne disparaît jamais, Sylvia en est convaincue pour elle-même, bien qu'effarée chaque jour de voir son visage perdre de son élasticité. Dans le reflet de ses propres yeux, elle cherche, chaque matin, ce qu'il reste en elle d'enfance étonnée. Parfois, la petite fille passe au fond de son *ayin* et la regarde en coin. Alors Sylvia saisit le *youd* de sa perception du monde futur, la projette de son *qav* vers le passé, l'extrait de la surface infinie du présent, afin que la vie soit supportable. Éliezer baisse le regard car Sylvia vient de lui sourire. Elle a vu l'enfant en lui. Un léger rosé est monté de très loin, de derrière sa barbe fine et blond cendré grisonnante. Sylvia en est certaine.

Elle marche seule au milieu de la route déserte de son quartier de résidence. Une voiture passe de temps à autre, et Sylvia, pestant intérieurement de devoir remonter sur le trottoir pour laisser passer le véhicule, regarde fugitivement quelle sorte de chauffeur se permet d'enfreindre la loi du chabbat : certainement un chrétien, un laïc, un musulman, peu importe, il a déjà tort. Sylvia, au bout de trois chabbats, ne se souvient plus avoir jamais été de ces gens-là. Quelques couples, entourés de leurs enfants bavards, avancent vers elle, murmurant entre eux tout en remontant sans doute vers leur habitation après avoir fait chabbat en famille. À travers certaines fenêtres d'immeuble, Sylvia aperçoit des familles encore rassemblées. Des enfants chahutent en se donnant des coups de coude ou s'interpellent, les mains appuyées sur la table. Ils semblent impatients de quitter la pièce. D'autres, plus dociles, la tête posée sur les avant-bras, écoutent leur aïeul, suivant du regard les mains animées du patriarche qui leur transmet probablement une interprétation biblique passionnante. Une mère sourit au récit, tout en berçant son nourrisson. Soudain un ballon, surgi d'un hall d'immeuble, rebondit sur le trottoir et frôle le nez de Sylvia. Quelques secondes plus tard, déboulent trois jeunes garçons, papillotes échevelées, kippas épinglées au hasard sur le sommet du crâne. Ils commencent à échanger des passes sur la route. Ils ne parlent pas, toute leur attention est concentrée sur le ballon. Au-dessus d'eux, les branches d'eucalyptus débordent hors des jardins, lourds de leurs feuilles, attendant un souffle de vent qui parfois vient par en dessous aérer les longues tiges qui semblent, elles aussi, recueillies. Sylvia traverse le parc qui la mène jusqu'à chez elle. Dans la pénombre, de jeunes silhouettes portant le costume noir, grand feutre incliné sur le front, chantent à tue-tête et scandent avec leurs mains la joie de l'existence. Un couple débouche à l'autre bout de l'allée et avance vers Sylvia. L'homme, d'une cinquantaine d'années, aux grandes enjambées indolentes, a passé un bras sous celui d'une vieille dame encore alerte. Dans le silence quasi total de la rue, Sylvia parvient à entendre qu'ils se parlent en américain. L'homme est peut-être en visite pour avoir tant de choses à dire à sa mère, car c'est certainement sa mère qu'il soutient tendrement. À moins qu'il ne soit veuf et qu'il soutienne sa belle-mère. Parfois la femme rit en posant la tête contre l'épaule de son charmant compagnon. Marchant à leur rencontre, Sylvia découvre le visage de l'homme. Il porte une paire de lunettes rectangulaires, couleur vert bouteille, et elle l'associe immédiatement au chanteur du groupe de pop anglaise Madness de sa jeunesse. À le voir avancer de ses grands pas nonchalants, elle imagine facilement le jeune homme qu'il a été, peut-être un adepte du mouvement musical ska, portant les fameuses chaussures de crêpe épaisses qui donnaient à ses fanatiques une allure molle et rebondie. Sans la kippa sombre qui coiffe sa tête, son costume très bien coupé aurait pu habiller un corps animé par le célèbre *One Step Beyond* qui déchaînait la foule. Sylvia ne peut s'empêcher de sourire au passage du couple. La vieille dame répond à l'air légèrement narquois de Sylvia par un *Chabbat chalom* franc et radieux. Cette bienveillance freine instantanément l'ironie de Sylvia. Elle n'a pas le temps de voir si l'homme (peut-être encore fan de Madness mais cachant sa passion musicale sous l'apparence d'un bon pratiquant) a approuvé le souhait de la vieille femme fait à cette autre femme marchant seule un soir de

178

chabbat. Chabbat, qui marque le temps qui passe et qui le sanctifie ; chabbat, soir d'union des maris et de leurs femmes, qui célèbre la réalité du foyer. Sylvia se sent bafouée d'être découverte dans sa solitude. Ses cheveux courts cachés par un foulard confirment qu'elle n'est ni une femme prise ni une femme éprise. Elle se dit qu'à défaut d'être considérée par les hommes, l'être par leur mère est déjà en soi un réconfort estimable. Une fois rentrée dans l'appartement, elle a encore une heure avant que la minuterie n'éteigne l'éclairage. Elle peut encore lire la *paracha* de la semaine, suivie de son Midrach, celle qu'a expliquée Franck lors du cours précédent. Alors qu'elle révise consciencieusement ses notes, Sylvia se demande soudain quand elle a eu ses règles pour la dernière fois et n'arrive pas à se le rappeler.

*

Affaissée sur le banc, à l'ombre de l'olivier, Sylvia rumine le cours talmudique que Franck vient de donner sur l'amour conjugal. Il s'était référé pour cela aux patriarches de l'histoire d'Israël, dont seul David avait été le digne roi, ne refusant pas de boire la coupe sainte jusqu'à la lie et allant jusqu'à se proclamer le juste héritier du trône. D'Abraham à Josué, en passant par Moïse et Isaac, David avait également été le seul à désirer sa femme Bethsabée d'un désir absolu, tourné

179

uniquement vers elle. Il l'avait élue et l'avait possédée, quitte à faire assassiner son précédent mari, allant peut-être jusqu'à la violer afin qu'elle ne soit pas considérée comme consentante. Poète et guerrier, il avait tant désiré, mais il avait aussi si bien assumé son mauvais penchant pour Bethsabée, qu'après son mariage avec elle, la polygamie fut interdite. Non que le roi David l'eût décrété lui-même, mais l'amour exclusif avait été révélé comme la seule possibilité d'épanouissement conjugal. Or il ne pouvait pas y avoir de désir sans ce fameux mauvais penchant, disait Franck, le *yetser hara*, ce petit diablotin de fantasme qui devait flotter au-dessus du lit conjugal. De tous les patriarches, seul David avait pénétré la Terre sainte en digne roi parce qu'il avait aimé sa femme tout en assumant sa part d'ombre. Son *yetser hara* donnait à son corps la pulsion nécessaire pour désirer Bethsabée encore et encore. C'est aussi ce qu'avait compris Sarah, femme d'Abraham quand elle avait glissé dans leur lit la servante Agar. Abraham, qui n'avait jusqu'alors eu aucune arrière-pensée, fut immédiatement animé par son mauvais penchant. Sarah en profita allègrement. À travers les propos de Franck, Sylvia comprenait qu'une femme qui se considérerait être Toute Femme pour son époux ne permettait pas au désir du pauvre homme de s'épanouir.

Sous la forme d'un décor biblique, Sylvia repensa alors à un amant qui l'avait poursuivie, possédé lui aussi par un désir qui, disait-il, n'avait jamais atteint un tel paroxysme.

Quand Sylvia eut enfin cédé et pénétré la tente du nomade, l'âtre qui crépitait à l'intérieur révéla son vrai visage, qui n'avait pour ambiguïté que ses propres tourments. Elle se voua avec inquiétude aux braises du foyer. Aussi le chasseur, poète et guerrier, quitta-t-il rapidement la tente pour aller conquérir un monde loin de la maussade Sarah-Sylvia. Celle-ci se demanda si elle n'avait pas tout gâché en oubliant de faire glisser Agar sous la tente, une femme mystérieuse, douée pour le double jeu et l'angle mort, spécialiste du *yetser hara*, jouant de son ombre projetée sur la tente et rendant illisible la perception du guerrier, le mettant dans la nécessité quasi permanente de calmer son trouble sans cesse ravivé, compansant ainsi, mais jamais assez, l'incertitude dans laquelle la femme le plongeait.

Perdue dans ses réflexions, Sylvia sent l'ombre d'Émile passer devant elle. Elle sait que c'est lui à cause de sa silhouette qui se tortille précieusement comme s'il était vêtu d'un babygro dont il ne voulait pas salir les pieds. Un plateau lourdement chargé au bout des bras, les lèvres pincées, il s'avance vers une table de déjeuner où l'attend Coralie.

– Vous allez bien ? demande une voix.

Sylvia sursaute et se tourne de droite à gauche. Jean-Guy se tient derrière elle, de l'autre côté des branches de l'olivier.

– Très bien, répond Sylvia.

– Je peux vous tenir compagnie ?

Sylvia opine.

Jean-Guy, non sans avoir relevé préalablement les pans de son pantalon d'un pincement sec sur le tissu, s'assied à ses côtés.

– Ces sessions demandent beaucoup de concentration et bouleversent nos certitudes. Et comme nous ne sommes plus très jeunes...

Jean-Guy se ressaisit élégamment, voyant les traits de Sylvia s'effondrer brusquement et sans bruit, à la façon d'un flanc de falaise sur un lointain bord de mer.

– Enfin je parle pour moi.

Réconfortée par la délicatesse de Jean-Guy, Sylvia devient aimable.

– Où logez-vous durant ce séjour ? demanda-t-elle.

– Eh bien j'habite chez moi, répondit Jean-Guy.

Le cœur de Sylvia se figea. Chez lui. Jean-Guy habitait chez lui. Dans Jérusalem. Un homme qui ne savait pas que son prénom signifiait « la vallée de la grâce de Dieu » habitait, *chez lui*, au cœur même du judaïsme. À moins qu'il s'agisse d'une métaphore à la Émile, qui avait reconnu immédiatement Erezt Israël comme étant son véritable foyer. Mais Jean-Guy, desserrant son foulard de soie fauve, raconta à Sylvia qu'il avait hérité de la maison de sa tante quelques années auparavant, mais ne s'en était jamais soucié. Il avait les clefs dans un tiroir de son appartement parisien, voilà tout. Juif de peu de foi, fraîchement retraité, il avait commencé à suivre des cours de Torah dans une salle du consistoire de Paris, par désœuvrement. C'est là qu'il avait rencontré Émile qu'il pointait maintenant légèrement de son menton, alors que ce dernier croquait de ses grosses dents carrées dans une tarte au citron tout en souriant à Coralie. Jean-Guy, soudain ému, confia à son auditrice qu'il s'était pris d'affection pour Émile. Il admirait son courage de s'être rendu au consistoire afin de se convertir. Là-bas, on lui avait conseillé de choisir une synagogue et de s'y tenir. C'est donc ce qu'il avait fait, plus téméraire que Sylvia qui, elle, s'était dégonflée. Émile avait choisi la synagogue même du consistoire, dévot de chaque chabbat, rentrant à pied chez lui, dans sa banlieue lointaine, tous les vendredis soirs, après l'office, et revenant dès le samedi matin, toujours à pied, pour la première prière de l'aube. C'était un pratiquant exemplaire. Mais qu'une prière aux morts soit requise et que le nombre d'hommes soit en dessous du minimum nécessaire, et Émile, malgré sa kippa et son châle traditionnel, n'existait plus. Les neuf prieurs cherchaient le dixième pour sortir la Torah mais ne voyant rien, n'ouvraient pas l'armoire sainte. Émile, humble et résigné sous son tallit, cachant ses yeux de pachyderme triste, ne manifestait aucune blessure, aucun ressentiment. On lui demandait s'il mangeait vraiment cacher, car personne ne pouvait le vérifier. Après tout, peut-être se goinfrait-il de tartines de rillettes de porc réconfortantes une fois rentré de ses dix kilomètres à pied. On lui faisait aussi entendre qu'un mariage avec une femme juive serait plus aisé pour se convertir, car les prescriptions quotidiennes du judaïsme se faisaient plus facilement à deux que seul devant une casserole de flageolets, même certifiée Beth Din. Émile, accablé de savoir qu'en plus de tout, il lui fallait trouver l'amour, rentrait chez lui, le cœur en bandoulière et s'en remettant encore à la volonté de Dieu. C'est alors que Jean-Guy le décida à partir pour Israël, où la conversion était pratiquée avec plus d'indulgence, surtout pour un homme encore jeune comme lui et habité tout entier par la conviction d'être né pour être juif. Émile ferait aussi un bon citoyen. Jean-Guy était veuf et n'avait plus d'enfants à élever. Il s'était donné comme mission de prendre soin de son ami, de l'accompagner dans sa conversion et de lui offrir un toit.

– Mais vous, reprit Sylvia de plus en plus intriguée, puisque vous êtes juif, Jean-Guy, vous n'avez pas à vous convertir !

– Chère Sylvia, je suis juif par mon père et ma mère, mais je n'ai jamais su ce que cela signifiait. Eux non plus d'ailleurs. Nous portions un nom juif sans nous représenter son histoire. À la maison, nous n'en parlions jamais. Nos pudeurs respectives nous imposaient le silence. M'épancher avec mon père ou ma mère m'aurait terriblement gêné.

Jean-Guy sourit et Sylvia vit sur son visage ridé l'adolescent qu'il avait été, traînant dans les rues son cartable d'écolier et son nom juif d'un air songeur.

– Je n'ai jamais saisi cette identité particulière. Pendant des décennies, personne chez moi ne s'était interrogé sur la question juive et c'est en 1938 qu'elle nous a rattrapés. Dans les camps d'internement, ceux qui ne s'étaient pas confrontés à la nécessité de réfléchir sur leur judaïté étaient entourés de religieux qui ne pensaient qu'à ça. La réalité a été insoutenable pour les uns comme pour les autres. Alors ? oui, je me convertis parce que, n'ayant jamais vécu en tant que Juif, et ayant décidé par moi-même d'en être un, je fais une action digne du libre arbitre. Juif malgré moi, j'ai décidé d'être juif en toute connaissance de cause. Quand on a bien saisi qu'être juif n'est qu'une suite d'emmerdements, quand on accepte de trinquer parce que c'est la véritable condition humaine, alors on est bon pour la conversion, chère Sylvia.

Jean-Guy, plongé dans ses réflexions, releva le nez en même temps que Sylvia et ils aperçurent tous deux la Vénus à l'intonation sucrée et à la chevelure d'une beauté synthétique. Poussant les portes à battant de l'entrée de l'hospice, elle affichait un contentement difficilement retenu tout en réajustant son chemisier. Jean-Guy et Sylvia la suivirent du regard alors qu'elle disparaissait sous le porche. Franck apparut à son tour aux marches du bâtiment, la peau plus blanche encore qu'à l'ordinaire. Son regard perplexe cohabitait tant bien que mal avec son air amusé et c'est ainsi qu'il partit, les mains derrière le dos, faire quelques allers-retours au fond du jardin. Jean-Guy et Sylvia n'osèrent pas se regarder, pour ne pas confronter leur interrogation sur le lien qui pouvait exister entre Franck et la belle personne. Certainement aucun.

– Et vous Sylvia, tenta Jean-Guy afin de dissiper le trouble, pourquoi vous convertissez-vous ? Pourquoi cette nécessité ?

Le visage de Sylvia se décomposa instantanément. Jean-Guy en fut impressionné. Il se reprit :

– Pardon, je ne voulais pas être indiscret.

– Non, non, vous avez raison de me poser la question, car au fond de moi, je ne sais pas pourquoi. Je me dis que cela viendra avec le temps, que ma réponse se fera toute seule alors même que je ne tenterai plus de comprendre. Je ne suis pas comme Émile, je ne me sens pas juive. Je sens juste que je voudrais en finir avec quelque chose et je ne peux m'en défaire qu'en me convertissant.

Le menton de Sylvia trembla légèrement car elle n'avait jamais formulé à haute voix son malaise, et tandis qu'elle s'entendait se confier à Jean-Guy, elle sut qu'elle s'était menti jusqu'à ce moment-là. Ce qu'elle cherchait, c'était à dépasser une ligne invisible, sans cesse inatteignable, une image qui se dérobait même à son en-dedans.

Sylvia ne dormait toujours pas. Elle avait recopié ses deux pages d'écritures hébraïques quotidiennes. Elle avait retranscrit le cours sur la fête des Arbres et apprit phonétiquement la prière aux fruits. Elle lisait maintenant à haute voix le Deutéronome 14 « et de la sorte, l'éternel ton Dieu te bénira en toute œuvre que ta main pourra faire ». Mais elle n'était pas aussi concentrée qu'elle l'aurait voulu. Son corps en alerte, tendu vers le silence de la nuit, ne put résister à aller vers la fenêtre. Dans l'appartement face au sien, la télévision était toujours allumée et la femme passait la serpillière. Il était deux heures. Soit la femme avait renversé quelque chose qu'il fallait nettoyer le plus vite possible, soit elle ne se souciait pas de la nuit et faisait le ménage parce que telle était son envie. Sylvia se demanda ce qu'elle voulait vraiment vivre à ce moment précis mais la peur de s'avouer le vide et le manque dans lesquels elle était enfouie depuis des années, comme un hamster dans la sciure de sa cage, l'arrêta net. La seule chose qui lui vint à l'esprit était de retourner au Mur des lamentations, là, maintenant, seule et en pleine nuit. Personne pour l'en empêcher. C'était l'aspect positif du célibat : aller au mur quand bon vous semblait, la route – quinze minutes de marche à pied – était aussi sûre qu'en plein jour et Sylvia savait qu'elle trouverait là-bas des compagnes de nuit avec qui tenter de s'en remettre à Dieu. Son cœur se mit à battre lourdement tandis qu'elle s'habillait pour sortir. Elle ne l'avait pas senti depuis longtemps, son cœur de nuit. Il était agité comme un chien qui aperçoit son maître saisir la laisse suspendue à la poignée de la porte. Ce serait peut-être pour cette nuit. Cette nuit, face au mur, elle comprendrait tout. Au poste de contrôle, deux jeunes garçons éthiopiens, assis sur la table, balançaient leurs jambes tout en jouant sur leurs tablettes de smartphone. Sylvia avait quitté l'appartement sans autre objet encombrant que la clef qu'elle avait mise autour de son cou. Elle fit quelques pas de plus et se retrouva immédiatement sur l'esplanade. Lui parvenaient quelques toux, le crissement des pieds d'une chaise en plastique comme il en est disposé sur la place pour les longs recueillements, une soudaine exclamation échappée de la bouche d'un fervent, un livre de prières refermé vivement. Sylvia, les oreilles dressées, le cœur gorgé de désir de recevoir et de savoir enfin donner, s'avançait vers le Kotel. Un couple de jeunes mariés posait en silence devant un photographe. On discernait à peine le déclic de l'appareil. Les amoureux irradiaient, muets de joie. Sylvia avançait toujours et réajusta nerveusement le châle de coton qu'elle portait sur la tête. La muraille semblait plus petite. Plus familière. Quelques femmes passaient à côté d'elle à reculons, pour quitter des yeux le Lieu saint le plus tard possible. Elle s'approcha du mur des prieuses. Elle se saisit d'une chaise et s'assit. Elle resta comme cela, inerte. Puis elle décida d'approcher son visage de la pierre comme elle aurait joint ses lèvres à celles d'un homme pour leur premier baiser. Elle déposa son front contre le mur glacial. Près d'elle, une femme, la tête cachée derrière son livre de prières, sanglotait doucement tout en murmurant entre les pages et le mur, à la façon d'une mère tentant de réconcilier ses deux enfants. Parfois elle laissait échapper un sanglot plus fort que ceux qu'elle réprimait à peine. Sylvia, devant une telle sincérité, un tel abandon de soi, se rappela que, pour aucun des rôles qu'elle a interprétés au théâtre comme au cinéma, elle n'avait été capable de cette justesse d'émotion, de cet épanchement pur et communicable. Les larmes de la voisine, entre pages de prière et mur, montraient les signes d'une maturité jamais atteinte dans le cœur de Sylvia. Elle ne savait que pleurnicher sur son sort, émue par une situation qu'elle était en train de vivre, comme si une caméra était toujours focalisée sur elle. Mais ce que Sylvia voulait vivre maintenant, c'était les larmes de sa voisine, celles qui remontent du fond de la poitrine et de l'aube de l'humanité, celles qui étranglent et qui brûlent, celles données pour le monde, pour les autres et pour Dieu. Mais rien ne venait. Elle fit rouler sur la pierre son front transi de froid, d'une tempe à l'autre. Ses yeux orientés vers la droite firent le point vers ce qui se passait du côté des hommes. Un long rideau métallique séparait les hommes des femmes, mais donnait la possibilité, sur à peine quelques centimètres juste avant la paroi de pierre, de pouvoir s'observer. Le mur des hommes, trois fois plus large que celui des femmes, était presque désert. Un balayeur ramassait avec une pelle et une brosse les vœux qui étaient encore tombés au sol. Face à la muraille, un homme dodu se balançait d'avant en arrière, et peu à peu l'émotion le gagna. Sa voix se fit audible, ses gémissements douloureux et ses gestes affirmés. Il semblait sermonner quelqu'un. Ce qui chiffonna Sylvia, c'est qu'il geignait tel un comique sur une scène de théâtre : il exagérait les simagrées de son tourment comme pour faire rire un auditoire. Elle oublia l'homme peu convaincant. Un garçon venait de se placer face à un pupitre libre. Son corps se balança immédiatement. Il murmurait vivement les paroles du livre posé sur le lutrin. De temps à autre son attention allait vers l'homme geignard. Parfois il jetait aussi un coup d'œil à sa montre sans lâcher la cadence de son corps. La silhouette d'un homme vint obstruer la perspective de Sylvia. À travers l'étroite fente, le profil perdu du nouvel arrivant lui sembla familier. Collée à la paroi, elle avait le front glacé, l'arrière de ses yeux commençait à se faire douloureux à force de fixer les hommes. À deux mètres d'elle, de l'autre côté de la séparation métallique, Sylvia reconnut le visage d'Éliezer. Son grand feutre noir accentuait l'ourlet de sa bouche. Son nez fin et droit se découpait nettement sous le rebord légèrement incliné vers l'avant du chapeau. Ses lèvres boudeuses s'entrouvrirent tandis qu'il feuilletait le livre qu'il tenait d'une main. Le blanc immaculé du col de sa chemise rehaussait la pâleur de son visage. Bien que Sylvia fût au plus près de la ligne de démarcation, elle ne pouvait sentir la proximité entière du corps de l'homme. Mais elle devinait la douceur de sa barbe, jamais coupée, jamais épaissie par un rasage quotidien. Les paroles d'Éliezer adressées à Dieu s'animèrent sur ses lèvres. Elles semblaient téter l'air. Un petit enfant. Le profil d'un petit enfant en gestation lors d'un tirage échographique. Voilà ce qu'évoquait pour Sylvia Éliezer recueilli : le portrait sous pli cartonné que ses amies enceintes ne manquaient pas de lui montrer lors de l'échographie du cinquième mois. Les traits du fœtus sur le cliché prénatal annonçaient déjà ceux du nourrisson sommeillant quelques semaines plus tard dans son couffin en plastique transparent. Sylvia devina, le long de la ligne qui démarrait du front haut, courait sur l'arête du nez, bordait les paupières closes et les lèvres boudeuses d'Éliezer, le nourrisson qu'il avait pu être.

Elle n'avait jamais eu d'enfants. Elle avait éprouvé un fort ressentiment envers ses parents quand elle avait compris qu'elle était mortelle. L'idée que sa propre progéniture puisse à son tour vivre cet effroi inconsolable, l'amertume qui en résulterait envers elle, la mère, lui avait paru impossible. Elle rencontrait un homme, et après les jours et les nuits de plaisir, quand s'annonçait l'étape d'une vie conjugale, elle était prise d'attaques de panique. Là où tant d'autres considéraient la relation amoureuse comme une porte ouverte sur l'avenir, elle y voyait sa propre fin. Visiter un appartement, main dans la main avec son amant *jusqu'à ce que la mort les sépare* ressemblait à une noce funèbre durant laquelle l'homme conduisait malgré lui sa Sylvia au tombeau. Les seuls amants avec qui elle n'éprouvait aucune angoisse morbide étaient les hommes absents ou fuyants. Son anxiété était alors tout occupée à rêver en vain d'une vie stable avec ces hommes-fantômes, et surtout il n'y avait de place pour aucun tombeau familial. Un homme trop aimant ou tout simplement amoureux, et Sylvia devenait mauvaise, voyant déjà dans le regard ému de l'homme le reflet du bac à pétunias posé sur la plaque de granit.

La seule famille qu'elle eût aimé créer était finalement sa propre famille, celle du plein jour, celle du soleil de midi, celle qui ne provoquait pas de crises anxieuses. Sa famille, regroupée sous l'ombre du saule pleureur des déjeuners d'été, au creux de la vallée pour Dieu et par Dieu : sa mère et son éternelle robe à carreaux écossais, le chien qui montait sur ses genoux sans lui demander la permission, le rire de sa mère à cause du saut inattendu de l'animal, le père altier, pantalon et blouson en jean blanchis par la farine du moulin quand il avait aidé son propre père à porter les sacs de blé moulu, les fourmis rouges qui continuaient leurs allées et venues, imperturbables, le long des plates-bandes de dahlias, la grand-mère qui avançait vers la tablée avec un plateau chargé de crèmes à la pistache merveilleusement chimiques, le grand-père, taiseux, attentif, mais toujours prêt à rire. Mais Sylvia avait vécu l'exode. Seuls les *Suifs* de l'autre côté du mur continuaient à jouir du paradis et y vivaient certainement encore. Ce soir, le front appuyé contre la pierre du second temple, fixant toujours Éliezer, Sylvia se souvient d'un dîner parisien où quelqu'un avait fait allusion au voisin juif dont elle ne connaissait que le prénom, Bruno, et le métier, professeur de philosophie. Elle apprit ce soir-là qu'il était devenu également le maire du village. Ce que le grand-père de Sylvia avait pratiqué pendant des décennies, le voisin juif le faisait aussi. Il avait sûrement des enfants, ceux qu'elle-même n'aurait jamais, courant à travers le jardin, riant d'un rire que Sylvia n'entendrait pas.

Maintenant Éliezer se balance, infiniment replié sur sa prière, d'avant en arrière mais d'une manière suffisamment érotique pour la trop sensible Sylvia. « Huit enfants, se répète-t-elle, il a huit enfants. » Il a désiré sa femme au moins huit fois. Elle se rappelle les personnages de Richard et d'Emmeline dans le livre *Le Lagon bleu* qu'elle avait lu au moulin lorsqu'elle était jeune adolescente. L'histoire racontait la vie de deux enfants ayant survécu à un naufrage et ayant échoué seuls sur une île au milieu du Pacifique, découvrant le désir, à force de grandir ensemble et d'être de plus en plus beaux. Éliezer et sa femme s'étaient rencontrés eux aussi à dix ans, échoués sur les bancs d'une école religieuse. Ils s'étaient troublés, mais certainement pas en nageant nus et innocents parmi les poissons exotiques. Ce n'était pas la poitrine naissante et révélée par l'eau d'une cascade tropicale qui avait saisi Éliezer d'un désir sidérant. Ce n'était pas des bas mats et distendus que la collégienne enfilait sur sa peau chaque matin qui avaient pu le troubler non plus. Alors qu'était-ce donc, cette émotion que Sylvia n'avait jamais connue ? Ce balancement du corps entier, ces lèvres animées par la prière auraient pu être pour elle, si elle n'avait pas préféré les caresses du vent dans ses cheveux, si elle n'avait pas ri des larmes du garçon. Si elle avait freiné son vélo avant la descente, si elle avait reçu l'amour d'Éliezer, alors elle aussi porterait des bas d'un sombre indéfinissable, elle aussi irait musarder dans les boutiques orthodoxes de Mea Shéarim, entourée de ses huit enfants. Elle aussi aurait le visage blafard et presque identique des femmes de ce quartier. Elle aussi irait à la recherche du plus vilain bonnet beigeasse pour cacher ses cheveux, de la plus laide longue robe noire s'arrêtant juste au-dessus des chevilles, des plus hideuses bottines sombres en simili cuir affaissées à mi-mollets, du plus triste chemisier marron clair en acrylique et à bouton de fausse nacre. Si elle n'avait pas ri de l'amour d'Éliezer, aujourd'hui, elle serait heureuse.

Éliezer baise l'intérieur du livre et le ferme. Il se détache du lieu en reculant sur plusieurs mètres, puis ses épaules entraînent son corps entier vers la sortie. Sylvia quitte le mur qui les a réunis. À travers le grillage, elle ne lâche pas des yeux l'homme qui marche à grands pas fatigués, réajustant son Borsalino comme un acteur hitchcockien. Dissimulée sous le châle, elle suit de loin Éliezer qui s'enfonce dans le dédale des ruelles. Son cœur bat, ses genoux la guident craintivement, et pourtant, suivre un homme sombre, dans une rue sombre, est ce qui lui est arrivé de plus excitant de toute sa vie. Éliezer monte lascivement les marches étroites entre deux bâtisses, tel un cow-boy éreinté après une longue traversée de canyon et qui a grand besoin d'un bain préparé par la sulfureuse tenancière du seul hôtel de la région. Il se sépare de son feutre noir, se libère de sa veste, puis ouvre une porte qui laisse échapper murmures et exclamations. Sylvia, les genoux douloureux, les poumons comprimés, franchit à son tour l'escalier. Sur une petite terrasse, elle découvre un portemanteau couvert d'un amas de vestes et de chapeaux. Derrière une porte, des hommes psalmodient. Une masse compacte d'hommes en chemise ont laissé tomber la veste à l'entrée et interrogent les Textes, encore et encore, puisant, dans les significations possibles des lettres, leur désir de vivre. Sylvia écoute leurs murmures et leurs exclamations. Elle les imagine, tanguant d'avant en arrière de tout leur corps d'homme, dans le simple appareil de leur chemise blanche et de leur pantalon noir. Elle touche des doigts la manche d'une des vestes inanimées. Mais une lumière de néon blafard jaillit au-dessus de la porte. Un homme sort de l'essaim, et les brouhahas, montés d'un décibel, semblent condamner le geste profane de Sylvia. Avec un petit cri contenu, cachant son visage dans son châle, elle dévale l'escalier de pierres usées par les hommes avides de sens.

*

Cher Papa, chère Maman, j'espère que vous vous portez bien. Hier j'ai glissé un vœu pour vous entre deux pierres du Mur des lamentations. L'un pour les genoux de papa, l'autre pour ceux de Maman. Je me mets à guetter les miens maintenant, j'espère qu'ils ne flancheront pas trop tôt. Je voudrais bien n'avoir hérité que de vos gènes positifs, alors s'il vous plaît, pas les genoux, je voudrais faire du vélo jusqu'à ma mort. Ici, il fait très beau. Demain je vais dans le désert avec de nouveaux amis. Je vais souvent à la plage par le bus, qui ne part que quand il est complet. Ça peut durer une bonne heure, mais le temps coule lentement et c'est ce dont j'avais besoin ; ensuite, je loue un vélo et pédale dans l'air marin jusqu'à Jaffa et même au-delà. Je retrouve mes joies d'enfant. Après cela, je me baigne dans les petites vagues à température ambiante. Je rencontre beaucoup de gens très sympathiques. Je sais que mon départ et cette longue absence vous intriguent et vous inquiètent. Je devine que cela vous déconcerte comme ma vie vous a toujours rendus perplexes. Mon fonctionne-

ment vous échappe et je ne le cerne pas bien moi-même. Je sais le désenchantement que vous avez vécu après que mon succès professionnel s'est étiolé. Vous m'avez donné votre confiance et je vous l'ai mal rendue. Pardon pour cette gloire médiatique et artistique qui fut la mienne et dont vous avez bénéficié trop brièvement des louanges. Mais quelle idée aussi de m'avoir appelée Sylvia ! Aviez-vous toujours su que c'est le nom d'un personnage de Marivaux dans Le Jeu de l'amour et du hasard ? Papa, avant mon départ pour Israël, je suis allée voir Béatrice Monceau, tu sais, celle qui te fiche la trouille tant tu la trouves laide et dont tu ne comprends pas le succès national, et bien elle interprétait − et fort bien − la Sylvia de Marivaux qu'on ne m'a jamais proposé de jouer. Mais Papa, sache que la Sylvia que vous avez mise au monde, celle que j'ai été, que je suis et que je serai, personne d'autre ne la joue aussi bien que moi. Et c'est cela qui reste le plus important, cher Papa et chère Maman ; Je suis incomparable dans mon propre rôle, je suis la meilleure interprète de moi-même jusqu'à ce jour. J'ai vécu librement et c'était une gageure. J'ai eu beaucoup de chance de ne connaître aucune contrainte, à part celle de me lever tôt, parfois. Mais maintenant, cher Papa et chère Maman, le véritable effort, l'engagement en toute conscience est une expérience que je n'ai jamais vécue et que je voudrais enfin éprouver. Voilà ce *que je peux vous avouer aujourd'hui et que je peux m'énoncer à moi-même, sans peur que cela vous remette, vous, en question. J'ai besoin de devoirs, j'ai besoin d'astreintes. Ce voyage m'a permis de le comprendre. Je vous embrasse fort et je vous aime.*

Sylvia.

Elle avançait à pas de loup vers l'annonce de sa conversion.

Elle entrait parfois dans un cybercafé et envoyait des mails laconiques à ses amis de France. Mais une sorte de ressentiment de n'avoir jamais été profondément nécessaire, même dans ses amitiés, ressortait depuis son arrivée ici. Personne ne lui manquait et elle ne manquait à personne. Michael lui racontait ses sorties nocturnes, ses étreintes fugitives et ses élans éconduits. Où qu'elle aille, c'était toujours la même histoire : Sylvia était une confidente née alors que c'était un rôle qui ne l'intéressait pas du tout. Le malentendu s'était installé très vite entre l'humanité et elle. On lui attribuait des qualités qu'elle n'avait pas, mais son défaut majeur était qu'elle ne savait pas se protéger des épanchements. Elle était effroyablement polie. Elle vivait près du quartier ultraorthodoxe et pouvait au moins se consoler de ne pas être prise à témoin d'ennuyeuses confidences : personne ne la regardait à part quelques femmes qui semblaient apprécier les tissus élégants de ses longues jupes décentes. Les hommes n'avaient pas le singulier regard flou d'Éliezer. Non. Ils ne la voyaient tout simplement pas. Parfois Sylvia se faisait aborder ou klaxonner, mais c'était systématiquement par un Arabe et que ce soit uniquement par des Arabes lui était insupportable. Elle se sentait autant humiliée par leur cour systématique que par le déni visuel des Juifs. Même avec son foulard et ses longues robes, ses lignes d'Oulpan écrites avec application matin et soir, ses cours de cacherout, son attention scrupuleuse à la loi juive, quelque chose en Sylvia dénotait. Et les autres le sentaient. Elle commença à vivre ces regards comme une conspiration dirigée exclusivement contre elle. Le seul lieu qui la réconfortait était le tram qui traversait la ville. Chacun faisait la queue pour acheter son ticket de transport. Autour du distributeur de monnaies capricieux, tous troquaient leurs billets contre des pièces. Laïcs, touristes, jeunes hommes à Borsalino, filles en short, hommes à chapeau de fourrure ou en djellaba, femmes orthodoxes à perruque et femmes voilées, tous se comprenaient quand il s'agissait de prendre le prochain tram. Dans la fraîcheur climatisée du wagon, Sylvia éprouvait une véritable expérience communautaire. Les voyageurs la vivaient comme elle, car durant le trajet où il n'y avait rien d'autre à faire que de s'observer, un regard se perdait parfois dans celui d'un autre, fugitivement. Irrésistiblement. C'était le lieu même de la reconnaissance d'autrui. Les contrôleurs patibulaires qui déboulaient régulièrement vérifiaient tout le monde et taxaient, sans état d'âme, le vieux juif religieux tremblotant ou la mère voilée accompagnée de ses cinq enfants. Pour Sylvia, c'était l'espace d'un apaisement qu'elle ne trouvait nulle part ailleurs. Quand elle avait rechargé ses batteries de confiance, voire d'insolence, elle choisissait, à la sortie de la station, un groupe d'orthodoxes mâles agglutinés aux arrêts d'autobus, tout guillerets et chargés de courses de supermarché. Elle fonçait droit sur eux, son cœur battant de joie comme on monte dans un manège à sensation. Le regard figé vers l'horizon lointain, elle fendait la masse d'hommes en noir. Ils s'écartaient sur son passage, empêtrés de leurs charges, effarouchés par cette femme qui les frôlaient serré. Au moment très précis de leur évitement, elle exultait.

– Tu en tires une tête ! commente Michael en ouvrant sa porte
On reprochait souvent à Sylvia d'avoir ses expressions douloureuses. Elle s'y était accoutumée. Ce qui l'intriguait le plus dans le monde des impressions subjectives, c'est lorsqu'on lui trouvait mauvaise mine alors qu'elle se trouvait jolie, et très jolie quand elle était dévastée. Mais au moment de frapper à la porte de Michael pour célébrer le chabbat avec lui, sa tête allait de pair avec son cœur décomposé.

– Enfin Sylvia, tu sais bien qu'être joyeux, c'est la moindre des politesses !

Il l'enveloppe de ses longs bras.

– *Chabbat chalom*, chère Sylvia.

– *Chabbat chalom*, cher Michael.

Michael, ondulant des hanches, se dirige vers les bougies et les allume en se cachant les yeux. La table est déjà ornée du pain, du vin, du verre de Kiddouch, et de quelques plats appétissants.

En silence, ils bénissent leurs mains à la fontaine puis Michael consacre le pain.

Sylvia, égale à elle-même, ne prend aucune initiative.

Michael s'est engagé auprès du consistoire pour qu'elle ne passe jamais de chabbat seule mais Sylvia, bien qu'aimant tendrement son ami, se sent seule avec lui.

– J'ai enquêté sur les lettres de ton nom, ma petite Sylvia, entame Michael en sortant un papier de sa poche.

Il le déplie.

– Bon. Les consonnes qui te *composent*, à savoir *samech-lamed-beth* sont aussi les lettres du mot *sevel*, qui signifie la douleur et la souffrance.

Il lève les yeux vers Sylvia qui s'étrangle discrètement avec un morceau de pain.

– Pas fini, enchaîne Michael. Les deux consonnes *l* et *v* qui donnent *lev* dans Sylvia signifient le cœur, et celles qui forment le son *yah* de ton prénom représentent l'un des noms de Dieu. De plus la valeur numérique de Sylvia avec deux *youd* est 127. Et ce chiffre est inscrit deux fois dans la Bible. Une fois à propos de la mort de Sarah qui mourut à cent vingt-sept ans. La deuxième fois dans la Méguila d'Esther, dernière femme citée dans la Bible. Le roi Assuérus, qui l'épousa, régnait alors sur cent vingt-sept provinces, ce qui signifie que leur union glorifia la mondialisation et le pluralisme. Michael replie ses notes.

– Ça te plaît ?

Sylvia approuve en déglutissant sa souffrance.

– C'est Zézé qui a fait ces recherches. Pas moi, hein.

Michael éclate d'un rire qui fait tressaillir sa pomme d'Adam. Sylvia sursaute aussi.

– Par contre, il me certifie qu'il faut que tu arrêtes de penser que tu as un *ayin* dans ton nom, tu n'en as pas. Tu as déjà trois *youd*, c'est bien assez, non ? Mon frère insiste aussi pour que tu comprennes que le *youd*, c'est comme la première trace du stylo sur la feuille, c'est la marque de la Création de soi. Par exemple, quand Dieu dit à Abraham *Lekh lekha*, qui signifie « Va vers toi », ou encore « Va dévoiler l'essence de ton être que j'ai fait à mon image », c'est de cette trace de stylo dont il parle. Si on va plus loin, précise Zézé, l'essence d'Abraham, c'est le futur, c'est le *youd*. Le fils tant attendu d'Abraham s'appellera Isaac, qui commence en plus par le *youd* et qui veut dire littéralement . il rira. Donc la marque du rire est déjà dans le projet d'Abraham. Allez, Sylvia, tu devrais te réjouir chaque seconde de ta vie. *Le Haïm* !

Michael tend son verre vers celui de Sylvia qui est vide. Elle le remplit d'eau gazeuse. Un silence s'installe entre les amis. Puis Sylvia le rompt.

– Pourquoi il ne nous invite jamais pour chabbat, ton frère ?

Michael boit une gorgée de vin et laisse traîner sa réponse, les yeux dans le vague.

– Je pense que ça les gêne. Ils ont beaucoup de bouches à nourrir et, chez eux, il n'y a rien. Rien. Des chaises, une table et des lits. Ni tableaux ni babioles. Ils vivent dans le dénuement.

Sylvia rêve encore à la femme heureuse qu'elle aurait pu être avec Éliezer, l'homme qui savait percevoir le langage du monde voilé. Avec lui, elle n'aurait jamais eu peur de la mort. Elle aurait posé des questions talmudiques et il lui aurait répondu. Parfois elle aurait essayé de le contredire, pour la joie d'être avec lui, ayant emmagasiné assez de réflexions, aussi humbles soient-elles, face à son érudition à lui. Il aurait flouté son regard de faon myope pour explorer dans sa mémoire ses connaissances en matière de Midrach, de *berechit*, de *paracha*, de traité Sanhédrin, de Sephirot, de Guemara, de Kol Nidre et ce que ses maîtres Rachi, Gaon de Vilna, Rav Akiva, Rav Nahman, Maïmonide avaient pensé eux-mêmes sur le sujet, afin de l'instruire elle, Sylvia, toujours et encore plus. Après leur échange d'amour, elle aurait rangé les chaises et nettoyé la table des quelques miettes de pain qu'elle aurait jetées aux oiseaux tandis qu'Éliezer aurait murmuré en tanguant, dans un coin de la chambre à coucher, la bénédiction du soir. Sylvia ne se serait jamais lassée d'observer la piété de son époux, avant de s'approcher elle-même du lit conjugal. Elle, elle ne prierait pas. Elle n'en avait pas le devoir car, en tant que femme, elle était toute prière.

– On pourrait apporter le repas chez ton frère ? Tout le monde fait cela dans le quartier, relance Sylvia.

– Je ne sais pas, conclut Michael, légèrement agacé.

Sylvia, face à lui, retrouvant sur son visage les lèvres boudeuses de son frère, se sent brusquement une *goy* qui ne vaut pas la peine d'être invitée un soir de chabbat dans une famille nombreuse et religieuse. Son sentiment d'exclusion lui noue l'estomac.

– Je vais sur le Net, Sylvia Darling, c'est l'heure des festivités. *Le Haïm.*

Michael éclate de rire et Sylvia aperçoit sa glotte agitée telle une stalactite de chair. Elle conclut sombrement que, tôt ou tard, un homosexuel ne peut jamais s'empêcher d'humilier une femme sur le terrain amoureux.

– On se quitte ?

Michael, déjà ailleurs, enveloppe ses épaules. Dans les bras de son ami, Sylvia se glace un peu plus.

Le même silence dans les rues. Le même pas tranquille des passants qui échangent des *Chabbat chalom* avec conviction et bienveillance. Les mêmes enfants déchaînés et haletants. La même montée de l'escalier vers l'appartement usurpé. Les lumières allumées et branchées au minuteur qui s'éteindront automatiquement à minuit puis se rallumeront à six heures. Sylvia se glisse dans la salle de bains plongée dans la pénombre. L'absence de lumière lui évite la tentation d'être confrontée à son image dans le miroir. À travers la moustiquaire de la fenêtre, un ronronnement intense attire son attention. Elle s'avance discrètement. Entre deux buissons et quelques détritus de papier, une chatte a élu la petite terrasse désertée et tapissée de feuilles d'eucalyptus pour y mettre au monde sa portée. Sylvia observe la mise à bas. La chatte semble anxieuse, lèche son orifice dilaté derrière lequel pousse déjà la première petite bête. Elle ne semble pas du tout préparée à ce qui lui arrive. Quand le nouveau-né est expulsé, elle feule tout en le fuyant d'un bond vers le recoin du réduit. Mais elle n'a pas le temps de se ressaisir qu'un autre petit sort de son ventre. Elle crache encore, tout en ronronnant de plus belle. Les animaux se tortillent et comprennent aussi peu que leur mère. Quand la chatte est allée jusqu'au bout de sa délivrance, elle s'approche de ses petits, les rassemble puis les nettoie les uns après les autres. Elle les dépose contre son ventre et un concert de ronronnements monte dans la courette délaissée. Sylvia, les yeux grands ouverts, se couche tout habillée et écoute la cacophonie de cette famille nouvellement créée. Elle entre alors à l'intérieur d'elle-même et inspecte son cœur. Son maître Franck a repris, lors d'un nouveau cours, la difficile question des Temps messianiques. Dans la quête de ces temps-là où ne devait résider aucun espoir de rien afin que quelque chose puisse arriver, elle cherche donc en elle, comme on chasse dans sa maison, à la veille de Pessah, toute miette sujette à fermentation, le moindre petit espoir qui se serait caché dans un recoin de son âme. Il ne reste plus rien.

Comme chaque samedi matin, Sylvia se rendit à la synagogue. Elle y retrouvait ses camarades. Au balcon, Chantal était aux premières loges des femmes. Elle connaissait déjà tout le monde et chantait quelques psaumes aisément. Plongeant son regard vers l'assemblée des hommes, Sylvia reconnut Miguel, de plus en plus à l'aise lui aussi. Entraîné certainement depuis son plus jeune âge à l'usage du poncho, il réajustait son tallit à la manière de ses voisins, c'est-à-dire toujours à un moment où le tissu ne bougeait absolument pas des épaules, et le laissait au contraire glisser vers l'arrière sans même y prendre garde. Ces réajustements à contretemps illustraient à eux seuls l'incompréhension que Sylvia éprouvait pour les hommes. Ils ne faisaient jamais les choses au bon moment, rectifiaient quand il n'y avait rien à remettre en place, et laissaient dégringoler un peu plus les événements quand il était déjà trop tard.

– Vous savez ce que vous allez faire pour Hanoucca ? lui demanda une sexagénaire à l'accent du sud de la France.

Sylvia se tourna vers la femme qui avait été belle.

– Non, répondit-elle. Et vous ?

– Je dois rentrer à Toulouse ce soir. Je n'ai pas eu mon visa prolongé pour aller jusqu'au terme de ma conversion. Je l'attends du consistoire mais je ne le recevrai pas avant quelques semaines et il sera trop tard pour les autorités.

Elle pointa du menton un homme à l'allure de catcheur qui chantait à tue-tête dans le parterre masculin, entouré d'Émile et de Miguel.

– Mon ami a eu son visa, lui. Il reste.

Sylvia savait, parce que tous les bruits circulaient vite dans les synagogues de ce minuscule pays, que la femme était venue en Israël se convertir avec son amant. Tous deux instituteurs dans une ville du sud-ouest de la France, ils s'étaient épris l'un de l'autre en même temps que de judaïsme, mais Sylvia ignorait qui des deux en avait été l'initiateur. Résolus à devenir juifs, ils restaient discrets sur leur union amoureuse. L'homme était bien plus jeune que sa maîtresse et ce qui les avait unis les séparerait tôt ou tard. Sylvia ne put s'empêcher d'admirer la détermination de la femme et sa mélancolie bienveillante à l'égard de son jeune amant. À cause de leur foi commune, il la laissait sur le rivage d'où elle le regardait prendre sa vitesse de croisière.

– Pour elle aussi, ça va aller, *Baroukh Hachem*, indiqua de nouveau la femme toulousaine en forçant le regard sur une jolie femme de trente-cinq ans environ, couverte de la tête aux pieds et qui murmurait avec dévotion et en silence les psaumes qui ne se disaient pas à haute voix.

– Elle est arrivée ici pour chercher un mari et fonder une famille, *Baroukh Hachem*. Elle est très croyante. Elle avait rencontré un gentil garçon dans la ville de Bnei Brak, mais la famille a enquêté et ils ont découvert que son arrière-grand-mère maternelle n'était pas juive. Son fiancé est désolé car il en est amoureux. Elle va partir pendant deux mois dans un kibboutz qui répare les petits accrocs généalogiques et, *Baroukh Hachem*, la famille la reprendra.

Sa mansuétude entraîna sa peau fripée à se rider davantage. Parmi tous ces dévots du samedi matin, Sylvia se demanda qui donc était juif, complètement, ou presque, ou bientôt, ou pas du tout. Elle observait les visages multiples puis se saisit d'un livre de prières dont elle devinait deux mots sur quatre. Elle fut prise d'un vertige qui lui donna une impression métallique dans tout le corps. Il ne fallait surtout pas qu'elle y fasse attention. Au sortir de la synagogue, Chantal, en dame patronnesse, offrait sa joyeuse amabilité à la ruche de kippas et de bonnets à fleurs crochetés qui s'attroupait autour d'elle pour échanger un bon mot ou l'inviter à déjeuner à chabbat. Tendre et affectueuse envers chacun, elle cachait son hyperventilation, à moins qu'elle ne la réservât à Sylvia. Réceptive comme elle semblait l'être, peut-être était-ce la présence opaque de Sylvia qui déclenchait sa panique respiratoire. Sylvia avait de plus en plus froid et elle repartit chez elle, submergée par un besoin intense d'aller voir la portée de chatons.

Elle s'approcha lentement. Les petits jouaient déjà. Ils se mordillaient, roulaient les uns sur les autres puis s'immobilisaient net à la vue d'une feuille d'eucalyptus desséchée qui venait de tomber au sol. Presque tous avaient les yeux chassieux. C'était une particularité des chats de Jérusalem. Ils étaient laids et en mauvaise santé. Leur vie serait difficile. Sylvia alluma la première bougie de Hanoucca. Elle avait décliné l'invitation à dîner lancée par Franck, car il y aurait Miguel pour qui Franck éprouvait une forte sympathie. Mais Sylvia n'avait pas du tout le même sentiment à son égard. Miguel, néocommuniste enflammé, épuisait sa patience très limitée, en affichant franchement ses opinions politiques avec son accent sud-américain à couper au couteau. Sitôt qu'elle entendait le mot *revoluciòn*, son dos se hérissait. Sylvia le soupçonnait d'avoir commencé à rouler des mécaniques lorsqu'il sut que l'archange dont il portait le nom signifiait « qui est comme Dieu ». Pour Souccot, la fête des Cabanes,

Miguel avait dressé, sur un terrain vague, et de toute sa conviction politique et religieuse, un abri rudimentaire tel que le préconisait le rite. Il avait convié tout son petit monde de préconvertis et les avait assommés de soliloques avant-gardistes. Le traité favori de Miguel était celui de Baba Metsia, une longue étude talmudique froide et sinistre, dépourvue d'émotion et de romanesque. Réflexion méticuleuse sur les droits civils, dommages et intérêts, droit des ouvriers, elle faisait le régal de certains penseurs. Citant les chapitres VI et VII, Miguel s'animait tout seul, laissant ses frères du style Émile et Odette sur le flanc. Mais Sylvia ne s'était pas laissé prendre et, pour tuer le temps, elle observait les voisins de Miguel, installés eux aussi sur le terrain vague, bédouins de sept jours. Elle songea qu'elle aurait bien construit son propre petit auvent, mais elle aurait fait fuir la chatte qui jamais ne serait revenue mettre au monde ses petits. Ce soir de Hanoucca, Sylvia regarde la flamme prendre vie devant ses yeux et éclairer la vérité de son foyer solitaire. Elle se rappelle un enseignement de Franck qu'elle a cru comprendre. Au bout du troisième mois de gestation, le fœtus faisait le choix de prolonger son féminin ou de devenir masculin. La séparation se faisait là. Naissait alors le concept de l'âme sœur, celle qu'on quittait *in utero* pour mieux la retrouver au cours de sa vie. Mais il y avait ceux, comme Sylvia, qui ne retrouvaient jamais ce qu'ils avaient perdu au temps de leur vie fœtale. Ils restaient à jamais abandonnés à leur inconsolable manque, sentant l'autre part d'eux-mêmes les appeler du fond de la caverne du monde, perdue et introuvable.

Chantal avait tout pris en main. Elle avait conduit le minibus jusqu'à la plaine du Moab, citée à plusieurs reprises dans le livre des Nombres. Elle avait garé le véhicule sur un terrain qu'elle avait jugé approprié pour les perspectives qu'offrait le paysage. Le groupe des aspirants contempla ainsi la ville de Jéricho tandis que Chantal, occupée à préparer le pique-nique, tentait en vain de respirer pleinement tout en ouvrant les tupperwares de victuailles concoctées par ses soins. Elle voulait s'occuper de ses ouailles et surtout manœuvrer à son rythme. Sylvia jetait un œil sur l'agitation fébrile et concentrée de sa camarade. Lorsque le houmous faillit se répandre sur la nappe que Chantal venait d'étendre sur le sol pierreux, son doigt en stoppa immédiatement l'écoulement. L'*ayin* obstiné de Sylvia vit alors l'ongle du doigt, impeccablement verni de bleu turquoise et oint très largement de houmous, aller directement à la bouche de Chantal, qui émit un léger bruit de succion. Cette aspiration avide et sonore par la bouche de Chantal confirmait le « tumulte » permanent de cette femme, son *chaan* biblique et néanmoins oppressé. Un soupçon de *tal* resta à la commissure de ses lèvres. Sylvia baissa la tête. Les fesses au sol, le regard perdu sur ses pieds joints, elle imagina ceux de Josué et de sa tribu, passant à côté d'elle sans la voir, leurs yeux de guerriers conquérants évaluant les murailles de Jéricho, assouplissant leurs lèvres avant de les ajuster à l'embout des cornes de bélier creusées pour en faire des trompettes, et bien décidés à posséder la ville. Qui, de Chantal ou de Sylvia, Josué aurait-il emmené avec lui ? L'ancienne belle Sylvia qui avait pour elle le coup de foudre dans son *ayin* et pouvait s'en servir pour enflammer la ville, ou la désordonnée Chantal et ses généreux tupperwares ? Sans l'ombre d'un doute, Josué embarquerait Chantal et son pique-nique. L'impassible Sylvia resterait sur la caillasse, et ses yeux, *aussi aveugles que la pierre*, pleureraient dans le nuage de sable soulevé au passage des guerriers. Son unique salut aurait été d'être Rahab, la prostituée de Jéricho, celle qui avait abrité préalablement les deux éclaireurs de Josué, envoyés par ce dernier afin d'espionner la ville. Pour des raisons mystérieuses, Rahab les avait cachés de la police. Lorsque celle-ci était venue frapper à la porte de l'auberge, Rahab avait soutenu que les hommes l'avaient bien fréquentée le temps d'une nuit mais qu'ils avaient quitté la ville et la police l'avait crue. Ainsi la femme, lorsque la ville fut entre les mains de Josué, eut la vie sauve. Elle ne resta ni avec l'un ni avec l'autre de ses deux amants, mais épousa un énième de la troupe, Salmon, dont elle eut un enfant, Boaz, qui lui-même épousa une étrangère, Ruth, future mère de David, le Roi des Rois. Ainsi Rahab, la Juste de l'époque, ancienne prostituée, devint la grand-mère du roi d'Israël. Sylvia se demanda si les deux espions-amants avaient quelque chose que les autres clients de Jéricho n'avaient pas. Rahab savait-elle qu'ils étaient *suifs* ? Et dès lors qu'elle l'eut su, aspira-t-elle à en être, elle aussi ? Ces étrangers avaient-ils parlé de la Torah de façon si raffinée, si brillante et si poétique que ça lui était monté à la tête ? Enfiévrée, les méninges surexcitées, au bord d'en perdre la raison tant la jouissance spirituelle était intense, elle avait vécu la lumière de la Révélation et, n'en dormant plus, en redemandait encore. Ces *Jouifs* prodigues, en échange de sa protection, lui avaient probablement promis une conversion express sans se coltiner des années d'études sous une tente à l'odeur de chameau et un examen final devant un consistoire de fortune. Sylvia, dans la situation de Rahab, aurait tout de suite proposé ce marché, et comme Rahab, elle aurait caché les hommes sans sourciller, surtout si les ancêtres de Jéricho étaient aussi blessants que ceux qu'elle avait croisés dans la matinée.

Quelques heures plus tôt, lorsque le minibus, après une heure de route depuis Jérusalem, avait stationné sur le parking du site archéologique, Sylvia avait ressenti l'atmosphère « cul-de-sac » de la cité : c'était une ville encore au bord d'être assiégée. Pour le moment, elle n'était envahie que par des sacs plastique flottant aux arbres et aux fils barbelés. Ils remuaient à la manière des petits animaux multicolores agonisants, répandus sur les champs de culture, étouffants les pousses qui luttaient contre leur propre apathie à sortir de la terre. Tenter de grandir parmi les résidus plastiques semblait être la vraie spécificité de Jéricho. Jéricho, la plus vieille ville du monde, la plus basse aussi, cinq cents mètres en dessous du niveau de la mer, enclave des vestiges de l'âge de bronze, mais aussi de l'âge moderne des emballages inaltérables. Et puis il n'y avait que des bananes à manger, bien que Chantal eût vanté les oranges et les dattes à la réputation légendaire. Sylvia s'était dévouée pour partir acheter les fruits dans la rue principale. Sur le trottoir, les hommes étaient affaissés sur des chaises d'époque contemporaine. Ils l'avaient regardée passer en lui murmurant des mots qu'elle avait devinés hypocrites et pas à son avantage. L'un d'eux avait daigné se redresser et lui avait fait face du haut de ses vingt ans inertes ; le cœur de Sylvia avait battu de honte. Le garçon lui avait indiqué une échoppe de bananes et les autres jeunes hommes, la cigarette au bout des doigts, leurs grandes jambes écartées et alanguies par l'ennui, avaient ri lentement. Si deux éclaireurs de la tribu de Josué étaient arrivés ce jour-là, elle n'aurait pas hésité à les planquer afin d'être débarrassée à tout jamais du regard de ces garçons. Un homme boiteux, un homme de l'âge de Sylvia mais qui en paraissait trente de plus, l'avait servie. Lorsqu'il avait ouvert la bouche dans l'effort pour attraper les fruits suspendus au crochet de son abri de misère, il sentait si fort le tabac inhalé depuis quarante ans que Sylvia avait eu un haut-le-cœur. L'odeur l'avait frappée au ventre, déjà retourné par le rire des jeunes hommes. L'homme vieux, l'homme de son âge, n'avait plus que quatre dents. Comme il était dépourvu de charme, il ne lui restait que la gentillesse. C'est ainsi qu'il l'avait guidée à la charrette d'un vendeur d'oranges ; avant de la quitter, il lui avait proposé de lui vendre un collier en os de chameau et une photo du sycomore sacré sous lequel Jésus-Christ s'était arrêté. Sylvia avait refusé et l'homme était parti aussitôt comme si elle n'avait jamais existé.

Aujourd'hui, face aux lointains palmiers brumeux de Jéricho, Sylvia n'a aucun espion à cacher et c'est d'elle-même que dépend sa conversion. Si encore elle avait vécu du temps du grand Rav Akiva, il lui aurait accordé sa requête d'un « aime ton prochain comme toi-même » et l'affaire aurait été pliée. Sauf qu'un autre sage, le Rav Hillel, disciple d'Akiva, trouvant qu'elle s'en sortait un peu trop facilement, l'aurait quand même rattrapée par la manche. La fraîchement convertie se serait tenue sur le qui-vive.

– Sylvia, écoute bien ceci :

Si je ne suis pas pour moi, qui le sera ?

Si je suis pour moi, que suis-je ?

Et si pas maintenant, quand ?
Et alors seulement, il l'aurait laissée partir.

Émile croque dans une pomme de ses grosses dents rectangulaires, ce qui fait vibrer toute la vallée du Jourdain. Il palabre devant Coralie qui approuve du menton, les yeux dans le vague. Sylvia observe l'*email* inaltérable de sa foi tentant de conquérir Kora-li, *son festin, sa poutre* et *sa contrainte*. Le visage placide du garçon semble savoir tout cela.
« Si Émile n'est pas pour lui, qui le sera ? Si Émile est pour lui, qui est-il ? Et si pas maintenant, quand ? » se répète Sylvia à la vue de la solitude à crever d'Émile. L'assiette en plastique de Coralie est vide et un courant d'air l'envoie sur les cailloux du désert. Émile se lève difficilement du sol puis se dandine rapidement vers l'objet non dégradable. Coralie observe sa silhouette, songeuse. Elle semble partagée ; à moins que le mauvais esprit de Sylvia se soit projetée dans celui de Coralie. Car Coralie, elle, est ici pour convertir son cœur. Elle n'a pour projet que l'ouverture et la bienveillance, l'humanisation permanente des pensées vulgaires et médiocres. Coralie, se dit Sylvia, se débat encore probablement avec ses anciens démons. Mais comme elle ne s'est jusqu'à présent pas intéressée à elle, tout cela n'est que suppositions.
Si je ne suis que pour moi, que suis-je ?
Émile dépose l'assiette dans le sac-poubelle posé au

milieu du groupe, ce que n'aurait jamais fait Sylvia, qui, elle, aurait rapporté l'assiette vide et poussiéreuse sur les genoux de Coralie. Sylvia baisse les yeux d'épuisement. Elle parvient à discerner le bien du mal mais voit comme son mauvais penchant domine encore. *Et si pas maintenant, quand ?* murmure avec insistance le Rav Hillel tenant encore la manche de Sylvia. Elle se dégage de la main imaginaire du sage.

Franck, qui devait les accompagner sur le site de Jéricho s'était finalement désisté ainsi que Jean-Guy. Ils allaient chercher un ami qui arrivait de Paris et qu'ils se faisaient une joie d'accueillir ensemble, ayant découvert récemment qu'ils connaissaient tous les deux ce voyageur pour qui ils avaient une grande affection : un dénommé Bruno. Franck avait donné quelques idées de la façon dont regarder la vieille ville et ses étendues infinies. Jéricho, territoire palestinien, était, à ses yeux, le *Réchit d'Israël*, sa part cachée et échappée à la loi. Elle évoquait à elle seule l'exil métaphysique qui devait être éprouvé par le peuple juif et lui rappeler qu'il n'était pas un produit de la terre : Israël était avant tout une possession de l'absence et c'est cela qui rendait possible la Présence de Dieu. Jéricho se dérobait à la possession comme Dieu se cachait aux yeux des hommes. C'est ce que Miguel semblait vivre : tel un chef indien, il scrutait l'horizon du Sinaï comme il aurait contemplé sa pampa natale. Ses yeux de lynx voyaient l'invisible immédiat que seul un exilé pouvait éprouver. *Avec moi vous serez des hôtes et des étrangers*, rappelait Dieu à travers le Lévitique. Ni ici ni ailleurs. La Terre promise, c'était le vide nécessaire dans le cœur des hommes pour faire une place à l'autre. Le néoprolétaire Miguel, ayant compris cela, se tourna vers Sylvia et lui adressa un sourire fraternel. Pour ne pas lui renvoyer son néant, le regard de Sylvia survola la cime des monts de Judée et atterrit de façon faussement hasardeuse sur le tandem Chantal-Odette. Elles étaient en grande conversation. Chantal écoutait attentivement la frêle Odette qui secouait doucement sa tête comme pour faire avancer les mots dans le bon ordre. Le vent apportait la voix très douce de la vieille dame. Sylvia était sûre qu'Odette ne l'appréciait pas et qu'elle pratiquait la méthode de l'évitement optique : car dès que Sylvia entrait dans son champ de vision, elle déviait légèrement son attention afin d'être sûre que leurs yeux ne se rencontrent pas. Peut-être Odette avait-elle deviné que Sylvia était âpre et mesquine. Seuls les mots *Vél' d'Hiv* émis par la bouche d'Odette parvinrent aux oreilles de Sylvia. Le vent les apportait comme les roseaux révélant le secret du roi Midas. Sylvia avait longtemps confondu Tel-Aviv avec Vél' d'Hiv. Adolescente, elle avait tout bonnement créé la raffle du Vél' d'Aviv qu'elle rangea avec tout le reste de son vocabulaire bancal, parmi lesquels figuraient *jouif*, *suif* et autres embrouillaminis. Elle tendit donc son oreille dysfonctionnelle en direction d'Odette et attrapa les mots tels que : *père policier.* Silence. Inspiration inachevée de Chantal. Puis *pleurait tant.* Un gobelet s'échappa de la poubelle. *Voir tous ces enfants effrayés.* Sylvia se déplaça pour ramasser le plastique sur le sable et attrapa à la volée le mot *suicidé* en s'approchant du sac-poubelle. Silence. Sanglot. *Que je répare,* crut-elle entendre en bloquant le gobelet sous une assiette. Elle leva à peine la tête vers les femmes qui s'étaient tues.

« Elles attendent, pensa Sylvia, elles attendent que je m'éloigne afin de pouvoir reprendre leurs conversations. »

Mais elles ne parlaient plus. Chantal tenait les deux mains de la vieille dame secouée de menus sanglots, comprimés dans son torse d'enfant.

Sylvia s'affaissa sur la banquette au fond du minibus, sûre que personne ne viendrait la rejoindre. Elle posa son front contre la vitre et fut prise d'un accablement extrême ; quelque chose était sur le point de quitter son enveloppe charnelle. Comme elle était sujette à ces sensations, elle ne prit pas peur et mit cette fatigue soudaine sur le compte de la différence de température entre la plaine et la climatisation d'air glacé du véhicule. Sa mère avait diagnostiqué que la thyroïde de Sylvia était probablement détraquée, ce qui expliquait qu'elle fût sujette à la fatigue, au froid soudain et aux sautes d'humeur. Mais Sylvia se refusait à croire qu'elle n'était qu'une créature hormonale. Elle savait très bien que ses fatigues étaient dues aux émotions trop fortes. Elle se consumait puis se glaçait. C'était une explication plus recevable que le déséquilibre de sa thyroïde : son cœur était mal isolé. La première fois qu'elle avait vécu ce phénomène particulier – sentir son âme ou quelque chose comme cela quitter son corps –, elle était sur un plateau de cinéma. Le rôle à interpréter était difficile. Il avait été écrit pour une actrice de dix ans son aînée, mais le metteur en scène était convaincu que Sylvia saurait exprimer ces sentiments de femme mûre. Son mentor était friand de vibratos parfaits. Or les émotions de Sylvia n'étaient jamais satisfaisantes. Il en voulait plus. C'est alors qu'arrivée au bout d'elle-même, elle avait quitté son corps. Dans son costume Second Empire, elle s'était s'allongée de tout son long au milieu du plateau en gémissant : « Au secours, je m'en vais, je m'en vais ! » Il y avait eu des rires gênés et des consternations. Au-dessus de son corps, à deux mètres environ, à vol d'âme, Sylvia avait pu voir les assistants se démener, l'un pour aller chercher un café, l'autre un verre d'eau, un autre de la mélisse toujours à disposition dans la cantine à médicaments. Le metteur en scène lui avait tenu la main, soucieux pour son personnage. Puis l'âme de Sylvia, ne sachant où aller, comme un chien qui a sauté le muret du jardin sans autre but que celui d'aller renifler de l'autre côté de l'enclos, était revenue dans son corps. Alors elle s'était redressée, avait bu un café très sucré et était retournée faire son métier.

À l'approche de ses cinquante ans, claquant des dents au fond du minibus, elle sent son âme partir en direction du plafond et adhérer à la texture de feutrine qui revêt la cloison. Sylvia la laisse partir, les yeux hagards. L'âme ne peut pas aller très loin : le minibus est exigu. Ainsi surélevée, elle aperçoit la tête grisonnante d'Odette voisinant avec les cheveux noirs de Miguel. Sylvia n'a plus la force de hausser les épaules. Toujours suspendue au-dessus de son corps inerte, elle comprend qu'elle sera à jamais loin des autres. Elle se dilue davantage encore, sent qu'elle disparaît à elle-même. Plus de pouls. Plus de sensations. Elle mourra donc ici, au fond d'un minibus stationné face aux plaines de Canaan. Elle sera morte de s'être exilée de son cœur sur le lieu même du retrait de Dieu. Ce qu'elle vient de comprendre, c'est qu'elle ne pourra jamais faire partie de ces humains-là, et que si elle ne peut pas appartenir à cette micro-communauté de croyants sur le point d'être judaïsés, son désir de conversion est une mascarade.

*

Le regard accentué par trois couches de rimmel qu'elle s'était décidé à remettre à son réveil, Sylvia appuya sur la sonnette, ce qui entraîna immédiatement des cris d'enfants. Une cavalcade monta dans le couloir puis vint s'échouer dans un remous de souffles courts et de rires étouffés : des petites présences piétinaient de l'autre côté de la porte. Sylvia crut discerner un bruit de crécelle et se souvint que le plaisir favori des enfants lors de Pourim était de faire le plus de bruit possible au seul nom de Haman, le vizir du roi Assuérus, qui avait demandé à celui-ci la mort des Juifs de son royaume. Franck ouvrit la porte lestement, accompagné d'un fracas de castagnettes et de sifflets que les enfants activaient de concert. Le cerveau de Sylvia frissonna.

– Bienvenue, chère Sylvia ! entonna son maître avec un engouement exagéré.

Autour de lui, la dizaine d'enfants surexcités, habillés de tissus bariolés, observait, intrigués, la grande Sylvia, dressée dans son tailleur-pantalon noir Agnès B infroissable qu'elle roulait en boule au fond de sa valise, par automatisme, et ce depuis des années. Elle portait également une moustache très réaliste.

– Bien la moustache ! complimenta Franck avec son air de lutin des bois.

Sylvia devait impérativement lui parler. Il fallait qu'elle lui dise qu'elle n'irait pas plus loin dans sa démarche de conversion. Elle savait que ce jour était celui de Pourim. Elle n'avait pas voulu se déguiser, car cette fête ne serait jamais la sienne. Mais, malgré elle, sa veste et son pantalon prirent l'apparence d'un déguisement. Sur la route, passant devant l'étal du marché, elle avait acheté un lot de moustaches autocollantes, se souvenant soudain d'une femme qu'elle croisait chaque jour durant sa vie parisienne, toujours vêtue d'un tailleur-jupe impeccable, sac à main sur l'avant-bras, brushing travaillé, et qui arborait une moustache de conquistador. Sylvia avait appris que cette femme, une fervente catholique, portait ses bacchantes avec fierté, convaincue que Dieu le voulait ainsi. Les enfants riaient sur son passage, les adultes la regardaient, médusés. Elle avançait sur ses escarpins, la foulée déterminée et la moustache altière. L'actrice Sylvia ne put se retenir de vouloir connaître, avec sa paire de moustaches, la sensation qu'avait vécue cette femme habitée par le bon vouloir de Dieu. C'est ainsi qu'elle se présenta chez Franck. Il avait délaissé la chemise blanche pour une liquette aux couleurs criardes. Sa cravate était volontairement trop large et trop courte. Sa peau, d'ordinaire diaphane sous sa barbe noire de quelques jours, la ligne de son tendre cou délicatement rehaussée par l'immaculé du coton blanc et le bleu profond de la veste, tout cela avait disparu dans le bariolé géométrique de sa chemise synthétique. Même sa bouche généreuse avait été aspirée par l'épaisse cravate. Les enfants partirent brusquement comme une volée de moineaux. Il en resta deux.

– J'en ai encore trois comme ça, dit Franck en caressant

la tête de sa fille de cinq ans, accrochée à la cuisse de son père.

Elle portait une robe de princesse d'un rose passé et regardait Sylvia en boudant. Franck hocha la tête en direction d'un garçon plus âgé qui assumait fièrement son costume de docteur. Il partit après avoir salué sèchement Sylvia, comme un chirurgien débordé. La petite-fille la sondait encore lorsque Franck les entraîna toutes les deux vers la pièce à vivre. Sylvia retrouva les enfants agenouillés autour de la table basse, leurs mains plongeant dans des bols pleins à ras bord de sucreries cacher aux teintes de carnaval. Ils avaient mis plus de soin à peindre leurs visages qu'à se déguiser. Une jeune fille, qui portait une longue jupe de velours marron et une chemise beige à col Claudine – apparemment pas un déguisement, mais cela restait à voir –, finissait de maquiller un petit garçon qu'un reste de chagrin faisait hoqueter. L'enfant et la jeune fille se tournèrent vers Sylvia lorsque Franck la présenta à l'assemblée des adultes.

Les femmes, toutes vêtues du prototype orthodoxe modern' style, longue jupe épousant la forme des hanches, coiffées d'un turban aux pans élégamment travaillés, portaient, au bout de leur long cou, le museau d'un animal. Renard, chat, chien, tigre, c'était charmant de féminin peu audacieux. Sylvia sentit sa moustache la démanger.

– Pourim, c'est aussi le retour à l'animalité, commenta Franck, toujours pédagogue.

Les femmes, bien plus jeunes que Sylvia, baisèrent gracieusement ses joues, du bout de leur minois sans vie. L'une d'elle, masquée *chat blanc angora*, se présenta comme l'épouse de Franck. Sa voix était sucrée et sembla familière à l'invitée. Franck, invariable dans son expression favorite étonnée et amusée de tout, apporta un verre de liquide sanguinolent à son invitée.

– Allez, Sylvia, on s'enivre un peu c'est maintenant ou jamais. Il ne faut plus discerner le bien du mal. Aujourd'hui on peut se moquer de tout, même de Dieu. *Le Haïm.*

Elle trinqua avec Franck, et les convives masculins regroupés autour de la table du repas se levèrent avec politesse pour tendre leur verre. Dans leurs accoutrements grotesques, chapeaux ridiculement petits, cravate démesurée, veste bien trop courte aux emmanchures, elle ne distinguait pas le laïc, à qui on pouvait serrer la main, du religieux, qui resterait de glace si on tentait d'approcher sa joue de la sienne. Elle garda ses distances. Elle ne connaissait aucun de ces visages poupins. Ils étaient si jeunes eux aussi. Ils essuyaient la morve de leurs enfants, berçaient les plus petits dont les sucreries avaient teinté de bleu fluo la bouche gourmande. Elle ne savait pas qui parmi eux était déjà saoul. L'un des défis du soir de Pourim était de se lancer sur de grandes analyses du livre d'Esther dans un état d'ébriété avancé, afin d'éprouver les limites de la raison enivrée confrontée au processus analytique. Ils reprirent leur place et revinrent à leurs réflexions restées en suspens, les yeux plongés dans leur verre, triturant de leur main libre leurs fines et douces barbes.

– Si Dieu est absent de l'histoire d'Esther, peut-être cela veut-il dire que nous devrions être capables de lire notre propre vie et de lui attribuer un sens loin de ce qui se laisse comprendre de manière évidente, songeait tout haut un convive.

Son voisin se frotta le menton activement, comme pour faire monter le sang à la tête et l'aider à articuler sa pensée.

– Mais alors, pourquoi est-il absent au moment où son peuple en a le plus besoin ? Pourquoi à ce moment-là précisément ? Il est présent tout le temps, à donner ses commandements, à être jaloux, à écraser ses fidèles sous le poids de lois permanentes, et là, au moment où son peuple est menacé de périr dans sa totalité, il n'y a plus personne ? Qu'est-ce que cela veut dire ?

Les hommes se mirent à glousser. Les yeux de Franck avaient fini par disparaître eux aussi, engloutis par le rire et l'ivresse. Sylvia, plantée devant la tablée, avait terriblement faim. Les femmes s'affairaient dans la cuisine, interrompues régulièrement dans leurs tâches par un enfant geignard. L'écoute et la tendresse passaient avant tout, même avant la faim de Sylvia. Ayant été gentiment congédiée de la cuisine car « tout était prêt », elle revint se planter au milieu de la pièce avec son verre de vin rouge. Seuls Jean-Guy et elle avaient été invités au Pourim de Franck. Il n'y avait rien à comprendre pour le moment, pensa Sylvia. À la manière d'une réflexion de Pourim, elle conclut que le sens était caché ailleurs.

Elle vint d'elle-même s'asseoir près de Franck, à l'extrême bord du groupe des hommes qui occupaient la moitié de la grande table dressée.

– Pourim, c'est l'épreuve ultime du rire sur soi. Tant qu'on rit de soi, ça veut dire qu'on n'est pas mort. Le rire, c'est la seule preuve de notre liberté. Vivre et rire, vivre et souffrir, c'est aussi fin qu'une page de livre.

Le jeune homme au corps adolescent qui venait de s'épancher lui adressa un sourire de connivence en levant légèrement son verre vers Sylvia. Elle ne buvait jamais. Elle avala, par politesse, une gorgée d'alcool et fut saisie de dégoût.

– Ça te plaît un dîner de philosophes ? Sexy, non ?

Franck venait de lui murmurer cela à l'oreille, avec l'indolence d'un homme ivre s'adressant à une complice de débauche.

Elle tourna sa tête vers son ami qui lui souriait encore. Ses lèvres étaient redevenues charnues. Derrière ses lunettes, on ne pouvait pourtant pas savoir s'il était ivre ou si Pourim lui permettait de taquiner Sylvia en toute liberté. Elle fut touchée en plein cœur. Elle se précipita sur une serviette en papier pour sécher le bord de sa moustache.

– Vous êtes tous philosophes ?

Franck veillait à ce que le verre de Sylvia fût toujours plein. Il le remplit à nouveau.

– Mais Sylvia, quoi d'autre ? Quoi d'autre qu'être philosophe ?

– Je ne savais pas... C'est votre métier ?

– Non, notre vrai métier, c'est de vivre, comme dirait l'autre, et vivre c'est essayer de comprendre, mettre du sens à tout, sur tout, et rire. Rire en pleurant. Pas possible de vivre, autrement.

Un doigt tendu au-dessus de lui, il psalmodia alors :

– Rappelle-toi le *hidouch*, Sylvia ! Le *hidouch* avant toute chose ! Philosophie, poésie et révolution ; si aucune de ces raisons de vivre n'est possible, alors ça ne nous dérange pas de mourir.

Franck tangua un peu sur son tabouret.

– Comme aujourd'hui, bredouilla-t-il. Pourquoi fête-t-on le sauvetage d'un peuple qui a eu lieu il y a deux mille cinq cents ans alors qu'il y a soixante-dix ans mourraient, pour les mêmes raisons, six millions d'autres humains ? Morts parce qu'on ne pouvait pas les blairer. Et voilà que, ce soir, on se saoule en essayant de donner du sens et on y voit du grotesque, des gens morts pour rien, pour aucun motif autre que celui d'être qui ils sont, des humains avec des rites particuliers, mais qui essaient, comme tout un chacun, de donner du sens à leurs actions, de cerner le temps, de donner du *hidouch* à chaque seconde de cette vie absurde. On va même jusqu'à penser que Assuérus, le roi, c'est Dieu lui-même, passif et jouisseur, amateur de femmes, mauvais caractère et colérique. Dieu n'a vraiment rien pour lui. Ce jour-là, il assiste sans piper mot à la grâce de son peuple qu'Esther parvient à obtenir par un stratagème érotique et héroïque. Dieu – alias Assuérus – la désire tellement qu'il cède à sa demande de laisser son peuple en vie. Pourtant, lors de Pourim, on entoure Dieu de bénédictions avant de pouvoir se moquer de sa médiocrité. Ils ne sont pas très cons tous ces Juifs ?

Il rit tout en adressant à Sylvia une mimique interrogatrice, les sourcils relevés jusqu'à la racine des cheveux. Elle pensa immédiatement que Franck tentait de la déstabiliser.

Pourim n'était pas un jour pour les susceptibles.

Il reprit son sérieux et sa pâleur à briser le cœur des femmes.

– Que Dieu soit planqué derrière le déguisement d'Assuérus en rut ou qu'il soit absent du banquet, il est de toutes les façons passif, voire carrément pas là. Ce jour de Pourim, Sylvia, on essaie de comprendre... À quoi bon être juif... Est-ce que cela vaut vraiment la peine ?

Les yeux de Franck se brouillèrent. L'homme était saoul, ou bouleversé de réaliser qu'il avait encore la vie sauve.

Sylvia aperçut ses tendres dents incapables de mordre à travers le rire qui naissait de ses larmes.

– À quoi bon, Sylvia...

Il se perdit dans ses réflexions.

Venue justement lui dire qu'elle voulait cesser de tenter d'être juive, elle resta face au vide de la question.

Elle leva les yeux vers les femmes qui avançaient, langoureuses, souriantes, portant les lourds plateaux de victuailles ; de vraies femmes de banquet. Laquelle d'entre elles aurait pu être Esther ? Sans hésitation l'épouse de Franck, au corps troublant. On sonna à la porte d'entrée.

Sylvia resta à la place qu'elle s'était attribuée, à la frontière entre le groupe masculin et l'autre, aux larges hanches et aux cuisses élancées. Comment Assuérus aurait-il pu ne pas céder ? D'autant qu'Esther, la Juive cachée du banquet, était considérée comme une Aphrodite, la plus belle de toutes les femmes de son harem. Elle aurait pu être en couverture de *Vanity Fair*. En plus de sauver son peuple, elle aurait été l'égérie de Dior.

C'était une réflexion de Pourim qui en valait une autre, et à laquelle Sylvia se laissa aller jusqu'à ce qu'on vînt la sortir de sa rêverie.

– C'est Bruno ! dit Franck.

Sylvia redressa le menton. Deux hommes lui souriaient gaiement. Franck et un petit homme inconnu.

Elle se leva et tout son poids dégringola dans ses pieds. Elle était bien plus grande que le nouvel invité dont on ne pouvait pas deviner l'âge. Dans son tailleur chic, la moustache dominante, Sylvia était singulière. Bruno ne put s'empêcher de l'évaluer dans sa globalité.

– Bruno, voici Sylvia, continua leur ami commun.

Bruno tendit sa main vers Sylvia. Celle-ci la regarda, étonnée qu'un homme lui offre encore ce geste. Il serra très fermement ses doigts glacés tout en tentant de se rapprocher. Il plongea ses yeux dans ceux, soudain caves et inquiets, de la femme.

– On s'est déjà rencontrés, non ? Demanda Bruno de sa voix chantante de jeune homme.

– Pas que je sache, répondit Sylvia.

Elle connaissait pourtant bien la question de Bruno, celle de tout individu qui, la croisant pour la première fois, semblait chercher à se souvenir où il l'avait vue, ancienne camarade de fac ou personnage public. L'autre offense venait des inconnus lui affirmant qu'ils savaient qui elle était, mais ne se souvenant plus de son nom, lui demandaient qu'elle leur rafraîchisse la mémoire. Souvent elle inventait un nom et les interlocuteurs approuvaient, se rappelaient soudain. Ils la remerciaient et passaient leur chemin.

Mais ce jour de Pourim, Sylvia qui portait moustache ne pouvait pas aider la mémoire de Bruno. À qui donc pouvait-elle ressembler qui rappela quelqu'un au petit homme ?

– Bruno enseigne à Paris. Il a été notre professeur de

philosophie à tous, insista Franck pour que ses deux hôtes fassent connaissance.

Il indiqua les jeunes hommes aux joues rosées qui, entre rires et zozotements, se demandaient encore si le livre d'Esther pouvait se lire autrement que dans sa langue d'origine.

– C'est aussi un camarade de lycée de Jean-Guy. Il est ici pour un colloque sur l'amour.

Franck acheva ses informations par une nouvelle mimique, entre ironie et tendresse.

Sylvia se braqua. Les philosophes avaient toujours ce petit air futé et légèrement suffisant, comme en témoignait cette assemblée de têtes chercheuses.

– Si, si, je vous connais, insista Bruno.

– Si vous le dites, conclut-elle en avalant une gorgée de vin.

La certitude arrogante de Bruno l'avait tout de suite excédée. Elle sentait aussi que son esprit s'était détaché de sa volonté d'être convenable. Comme Pourim l'exigeait, Sylvia perdait la tête.

– Veux-tu bien laisser le tabouret à Bruno et aller t'asseoir confortablement entre Sarah et Yaël ?

Le cœur de Sylvia se figea sous sa chemise de garçon. Franck souriait, convivial et éméché. Il essayait avec tact de faire muter Sylvia de la frontière homme-femme au clan des femmes. Pour Sylvia qui était déjà saoule et qui avait pris la décision de ne plus jamais tenter d'être juive, c'était une requête impossible à entendre. D'autant que c'était laisser le tabouret au narquois Bruno qui la dévisageait toujours avec un plaisir non dissimulé.

– Certainement pas ! s'exclama-t-elle.

Les lèvres de Franck se couvrirent immédiatement de talc.

– Comment ça ?

– Mais il peut s'y coller lui, rétorqua-t-elle en indiquant Bruno.

Les disciples de Franck levèrent la tête.

– C'est vrai quoi, je n'ai pas de gosses, je ne fais pas la cuisine et je porte une moustache, alors qu'est-ce que vous voulez que j'aille faire là-bas ?

Elle désigna le clan des jeunes mères humbles et suaves.

– Ah moi, je ne demande pas mieux que de prendre votre place, rit Bruno avec une intonation de séducteur amateur.

Un garçon au chapeau pointu sur sa kippa se dressa et leva son verre. Il prit une voix de fausset.

– Mais ne serait-ce pas là notre reine Vashti ?

Sylvia n'en avait jamais entendu parler.

Bruno sourit de toutes ses dents et confirma :

– Vous auriez été parfaite dans ce rôle. Vashti était une femme de caractère. Ce jour de Pourim, elle avait organisé de son côté un banquet de femmes, pour faire bisquer son ballot de mari Assuérus. Féministe avant l'heure, elle avait refusé de venir danser nue devant les convives de son roi alors que celui-ci l'exigeait. Il l'avait répudiée immédiatement. Je me demande même s'il ne l'a pas condamnée à mort.

Les mains posées sur la table, droite comme I, Sylvia ne quittait pas sa place. Elle affrontait Bruno, la moustache aux aguets.

– Si vous restez avec nous, c'est à vos risques et périls... Là-bas, dit-il en pointant du menton le coin des femmes, vous serez plus en sécurité... petite Sylvia.

Il avait pris une voix sensuelle, ce qui lui donnait le ton d'un renard dans les fables de La Fontaine. Il sentait l'alcool. Apparemment il avait fêté Pourim plus tôt que toute l'assemblée présente. Il colla une main à l'oreille de Sylvia et lui chuchota :

– Vous avez le même caractère que votre grand-père. Une fois qu'il a pris une place, il ne la lâche plus.

La tête de Sylvia lui tourna brusquement.

– Un Breton, si je me souviens bien... conclut Bruno.

Puis il observa l'effet de ses paroles sur le visage démantibulé de la pauvre femme. Elle ne savait plus où elle était, quel lieu, quelle année de sa vie. Elle prit peur de tout, de ces déguisements de fortune, de ces odeurs d'haleine alcoolisée, de ces sourires de philosophes, de ces enfants aux visages blafards et surtout et plus profondément encore, de la véritable raison de sa présence ici. Bruno avait fait remonter dans ses souvenirs la surface écaillée d'un porche d'entrée gris clair : le moulin de ses grands-parents. Elle haussa la voix de

manière surarticulée, comme une actrice qui s'échauffe avant d'entrer sur scène :
– Mais-de-quoi-tu-me-parles-toi ?
Maintenant il fallait partir, c'était une question de vie ou de mort. Sylvia devait sauver quelque chose. Il ne fallait pas avancer davantage vers le porche gris. Elle arracha brutalement sa moustache. La tête en avant, elle fila vers le canapé. Deux enfants, ensuqués sur les oreillers, observaient, terrorisés, la créature aux yeux fous chercher son sac à main parmi le fatras amoncelé sur la banquette. Elle jeta un regard oblique sur le garçon déguisé en docteur.
– Tu m'as rien piqué, au moins ?

Michael trouva les coulées de mascara sur le visage de Sylvia très réussies. Lui-même s'était coiffé d'une perruque noire fortement bombée sur le sommet du crâne. Coupe carrée dans la nuque, la frange lui descendait jusqu'aux yeux. Son visage était couvert d'un fond de teint rose, ses paupières poudrées de vert, et sa bouche était d'un fuchsia mat. Deux perles turquoise étaient accrochées aux lobes de ses oreilles. Un tailleur rouge jusqu'à mi-cheville, baskets noires fatiguées au bout de bas d'une couleur indéfinissable : Michael s'était travesti en une Jackie Kennedy d'Andy Warhol nimbée d'orthodoxie.
Avachie sur une banquette à l'entrée de l'appartement, Sylvia, dont l'arrachage violent de la moustache avait

irrité la lèvre supérieure d'une traînée rougeâtre, voyait encore passer devant elle des enfants agités et costumés. Pour la plupart adolescents, ils avaient passé l'âge des crécelles : c'était la progéniture d'Éliezer.

Un peu plus loin, dans le salon des festivités et à contre-jour, elle devina la silhouette immobile d'un homme coiffé d'un imposant turban de taffetas Son dos reposait contre la fenêtre du séjour. Il était vêtu d'une longue robe de soie claire.

« Un Assuérus de Pourim », pensa Sylvia.

Une femme vêtue d'un large caftan se déplaçait lentement et passait parfois dans le champ de vision de Sylvia, débarrassant des assiettes, en rapportant d'autres. Certainement pas une représentation d'Esther, ni même de Vashti. Elle s'était probablement accoutrée en femme de harem négligée depuis longtemps. Il y avait d'autres convives, mais Sylvia ne les distinguait pas. Seul le roi Assuérus prenait tout l'espace dans l'encadrement de la fenêtre.

Michael l'avait invitée pour la fête qu'il donnait chez lui, mais c'est à Franck que Sylvia avait donné la priorité, afin de lui parler expressément de son renoncement. C'était son maître. Bien que Michael eût de bonnes connaissances talmudiques, Sylvia ne souhaitait pas se confier. Elle ne voulait être nourrie spirituellement que par un homme hétérosexuel. Les femmes rabbins auxquelles elle s'était adressée en France ne l'inspiraient pas. Elle les trouvait trop accueillantes. La crainte lui était nécessaire, ainsi qu'un sentiment d'infériorité pour pouvoir le surmonter. C'est Franck, bien que dévoué à ses élèves et à sa mission, qui dégageait le masculin suffisant pour impressionner Sylvia. Elle avait un point de vue très arrêté sur la question : au temps de l'Éden, Adam vivait le monde mis à sa disposition dans un état de torpeur, conscient du réel mais pas véritablement engagé dans l'existence : il était gourd. Il s'était une fois de plus endormi, indolent. À son réveil, il découvrit Ève contre lui et ils firent connaissance. Mais lorsqu'ils en vinrent à la parole, Adam fut envahi d'une nouvelle flemme. Bien qu'ayant reçu de Dieu et de façon très précise toutes les règles de vie pour jouir de la terre, à savoir goûter à tout sauf à l'arbre du bien et du mal et considérant qu'il n'était pas tellement nécessaire de transmettre ces données majeures à Ève, Adam partit faire un tour. Il venait aussi de pressentir qu'Ève n'était pas femme à être facilement contentée. Il la laissa livrée à elle-même. Encore allongée, sous le coup du départ faussement désinvolte d'Adam, le regard perdu vers l'infini du ciel, et le corps enflammé elle chercha un soutien à sa frustration. C'est alors qu'apparut le serpent. Si Adam avait été moins embarrassé par le besoin d'élévation spirituelle d'Ève tout aussi fort que son goût pour l'amour physique, s'il avait eu confiance en lui mais également dans les capacités d'entendement de sa compagne, rien de ce qui se produisit par la suite ne se serait passé. Adam et Ève auraient joui de l'ombre de l'arbre, admirant parfois le fruit mystérieux avec l'émotion qu'on éprouve devant la simple beauté, mais sans en croquer. Fautif par sa négligence, interdit pour toujours de musarder, Adam fut condamné à travailler la terre : il eut vraiment de quoi être préoccupé. La sueur coulant sur son front lui donna des idées de pouvoir. Il rêva de faire trimer les autres mais aussi, exalté par sa propre transpiration, prôna les mérites de la classe laborieuse. Ève, quand elle ne savonnait pas le sel de l'homme, enfantait dans la douleur. En mourait la plupart du temps. Voilà pourquoi Sylvia ne désirait pas qu'une autre Ève, toute rabbine qu'elle fût, lui enseignât la Connaissance. C'était le devoir d'Adam. C'était à lui de se décarcasser pour la faire accéder à la Guemara et aux Pirke Avot, même si ce même Adam, Franck ou Éliezer, préférait de loin laisser son Borsalino et sa veste au vestiaire d'une yechiva pour pouvoir dialoguer avec ses véritables semblables : les autres hommes. C'était à l'homme de se frotter le front jusqu'au sang devant la femme et de l'éclairer sur le sens des *mitsvot*, même s'il ne songeait qu'à filer chez ses frères de corps et d'esprit, de piocher fiévreusement un livre saint dans la bibliothèque commune et de fondre sur une table d'étude, la tête dans les mains, bouleversé par des pensées confuses. C'était à l'homme de réparer son péché originel : celui de sa paresse à parler véritablement à une femme. Mais ils préféraient se retrouver entre eux, bien soudés, bien solidaires, et, sous les bouffées de chaleur de leurs chemises blanches, réajustant à contretemps leurs kippas sur leurs cerveaux en proie aux charivaris, le bas des reins en compote, ils se balançaient d'avant en arrière pour tenter d'étouffer l'incendie intérieur à la lumière d'une michna, peu importe laquelle, pourvu qu'elle les éloigne de la femme coupable du brasier. Or plus les malheureux s'en éloignaient et plus ils s'en rapprochaient, car de quoi d'autre parlait la Bible si ce n'était d'amour ?

Entre chien et loup, alors que Sylvia avait cru identifier Éliezer dans le costume d'Assuérus, un personnage portant un masque blanc et affublé d'une longue tunique noire vint lui cacher la vue. Immobile devant elle, la parure du nouveau venu était ornée de toutes sortes de petites pendules et réveils. Couronné d'un chapeau claque, le costume était particulièrement réussi.
– Voici notre maître du temps, annonça Michael.
Le masque blanc impassible de la créature couverte de cadrans fixa Sylvia. Elle devina le souffle court derrière les lèvres fermées.
– As-tu déjà joué Esther au théâtre ? lui demanda le maître du temps de sa voix de jeune homme.
Sylvia comprit que derrière le masque se cachait le fils aîné d'Éliezer. Elle fut immédiatement touchée par la

curiosité de l'adolescent ; lui, saurait peut-être parler aux femmes.

– Pas Esther, non, mais j'ai interprété une fille du chœur quand j'ai commencé à être actrice.

Le garçon opina du masque.

– Tu te rappelles le texte ?

Aussitôt, les mots dits plus de trente ans auparavant sortirent de la bouche de Sylvia, dans le même ordre mais sur un rythme plus lent.

Que le Seigneur est bon ! Que son joug est aimable !
Heureux qui dès l'enfance en connaît la douceur !
Jeune peuple, courez à ce maître adorable :
Les biens les plus charmants n'ont rien de comparable
Aux torrents de plaisirs qu'il répand dans un cœur.
Que le seigneur est bon ! Que son joug est aimable !
Heureux qui dès l'enfance en connaît la douceur !

Satisfait, le jeune homme salua de la tête, applaudit du bout de ses gants blancs puis disparut dans le salon des victuailles. Son départ révéla à nouveau le roi Assuérus qui n'avait pas bougé, quoique plus légèrement penché en avant. Il semblait maintenant observer attentivement Sylvia. Michael tendit un verre d'aspirine à son amie.

– Bois. Aujourd'hui c'est la sanctification de la réjouissance. Pas le temps de souffrir de quoi que ce soit.

Sylvia porta le verre à ses lèvres sans lâcher des yeux le regard indiscernable d'Assuérus-Éliezer.

– À propos de souffrance, demain je vais à un colloque

sur l'amour. C'est un professeur du lycée d'Éliezer qui préside le débat. Veux-tu venir ?

Sylvia tressaillit. Il s'agissait encore de Bruno, le petit homme futé comme un elfe et qui avait apporté avec lui l'image du porche fermé gris clair. Sylvia fit un pas de plus dans ses souvenirs. Elle se tenait maintenant devant les portes du paradis, elle revoyait la couleur écaillée des gigantesques battants de bois, cherchait encore dans ses narines l'odeur saumâtre du torrent sur sa gauche, essayait d'entendre le bruit des bouteilles plastique s'entrechoquant dans le remous des flots. Face à elle, les yeux de girafon triste d'Éliezer semblaient s'agrandir eux aussi, dans une sorte d'effroi.

– Mais qu'est-ce qu'il a, le Zézé ?

Les yeux toujours écarquillés, le turban de taffetas ayant légèrement quitté le sommet de sa tête quand il s'était penché pour entendre les vers d'Esther, Éliezer venait de reconnaître enfin que cette femme face à lui, l'amie un peu étrange de son frère, qui traînait depuis quelque temps dans Jérusalem, tantôt déguisée en pratiquante, maintenant habillée en tenue d'homme, c'était bien Sylvia, la jeune fille moqueuse de son amour. Depuis qu'il l'avait revue chez son frère un soir de chabbat, il avait tout fait pour l'éviter. Il réajusta sa coiffe puis quitta lentement sa chaise, enveloppé de sa longue tunique mordorée.

Sylvia et Michael le regardèrent se déplacer comme

s'il voulait disparaître aux yeux de tous sans se faire remarquer.

– Il te plaît, mon frère, en Mardochée ?

Sylvia hocha la tête vers son ami, incrédule.

– Mardochée ! L'oncle d'Esther ! Celui qui refusa de se prosterner devant quiconque. Il a failli entraîner son peuple dans l'extinction totale à cause de cela. Heureusement que sa nièce était une belle plante, sinon c'en était fini des Juifs. Esther moche, on ne serait plus là, crois-moi.

Sylvia sourit, les dents contre le verre d'aspirine. Elle pensait à Vashti : son refus de danser devant le roi avait été aussi fort que celui de Mardochée. Les deux récalcitrants avaient provoqué la fureur d'Assuérus. Esther était intervenue pour sauver son peuple, mais c'était aussi grâce à Vashti qu'Éliezer et ses enfants pouvaient se réjouir aujourd'hui. Si Vashti s'était soumise dès le début, sans doute Assuérus aurait été plus indulgent envers la requête du vizir Haman.

– Ça lui fait du bien à Zézé un peu de déguisement obligatoire. Ça le protège du syndrome de Jérusalem.

Les lèvres de Michael étaient marquées d'un dépôt sombre mêlé à son rouge à lèvres. Le vin déliait un peu plus sa langue déjà bien pendue.

– Qu'est-ce que c'est ? demanda Sylvia.

– C'est une crise mystique qui déboulé dans la tête des croyants au psychisme fragile. Les syndromés se

242

prennent soudain pour des personnages de la Bible ou se retrouvent du jour au lendemain avec la mission de sauver l'humanité. Ça se passe surtout au moment des fêtes, quand la fièvre pieuse est à son comble ; mais Zézé, en se déguisant une fois l'an, tient à distance la folie de se prendre pour un autre le reste de l'année. C'est un *tzadik*, notre Éliezer, un sage. Tu as remarqué, non ?

L'ébriété de Sylvia avait disparu depuis le début des révélations de Michael.

– C'est quoi exactement, un *tzadik* ?

– C'est un homme juste. Je pense que Zézé, il a fait *techouva*.

Sylvia marqua un air étonné. Elle voulait en savoir plus. Michael continua sans se faire prier

– Faire *techouva*, c'est vivre un retour radical sur soi, à l'état initial de pureté spirituelle. C'est le Repentir, le regret d'un gâchis, d'une expérience qu'on ne veut plus jamais revivre. On réitère alors en toute conscience ses intentions de pureté et de proximité avec le Tout-Puissant. Les signes avant-coureurs sont souvent ceux d'avoir été possédé par le *yetser hara*, le mauvais penchant.

Michael secoua sa Jackie Kennedy de Pourim d'un petit rire contenu puis réajusta sur son front le carré de cheveux synthétiques.

– Apparemment Éliezer a découvert son *yetser hara* de façon très précoce, c'est pourquoi il a demandé à nos parents de l'inscrire très vite dans une école talmudique. Il était déterminé. Faire *techouva*, c'est une expérience qui arrive souvent plus tard dans la vie, mais Zézé avait senti quelque chose de néfaste dans son cœur. C'est ce qu'il avait déjà pu exprimer à cette époque. Il disait qu'il avait couru à sa perte.

Sylvia se tourna à nouveau vers la place laissée vide par le Mardochée d'un jour et blêmit. Michael reprit :

– C'est fou non, pour un gosse, d'être capable d'analyser cela... Ensuite, il n'a plus fait qu'étudier. Étudier et faire le bien autour de lui, chaque seconde de sa vie, le bien, le bien, le bien.

Le retour radical sur lui-même d'Éliezer, Sylvia le discerna très nettement, comme s'il venait de se dérouler quelques secondes à peine devant ses yeux. Elle revit tout : les alouettes volubiles, la jeune fille qui se retourne vers le petit garçon, freine un peu. Elle n'écoute pas, tant elle rit de sa joie d'être au monde, ce qu'Éliezer vient de lui révéler dans les hoquets de son désespoir. Elle se souvint précisément que l'enfant avait stoppé son vélo, avait mis un pied à terre et avait plongé ses yeux dans ceux de Sylvia. Puis il avait fait marche arrière, terrorisé. Sylvia comprit, ce soir de Pourim, que ce regard intense dans sa direction, c'était la révélation de ce que l'enfant avait vécu : il avait vu quelque chose et en avait saisi le danger. Alors il était rentré en lui-même et avait fait *techouva*.

Au téléphone, Jean-Guy insiste. Il sait que Sylvia est chez Michael. Lorsqu'il était arrivé chez Franck, en apprenant que Sylvia avait quitté la fête précipitamment, il s'était senti étrangement concerné. Comme il l'éprouvait pour son ami Émile, il devinait aussi les difficultés de Sylvia à s'intégrer dans la communauté. Il pressentait sa douloureuse quête identitaire. Mais il était aussi convaincu que celle-ci, en règle générale, était une illusion.

Toujours avachie dans le hall d'entrée de l'appartement de Michael, Sylvia écoute attentivement Jean-Guy la sommer de passer chez lui, maintenant qu'il est rentré. Sa maison est à trois rues de celle de Michael, et tous ses amis du club des préconvertis l'y attendent. Elle ne peut pas faire bande à part. Ça ne se fait pas. À travers le combiné téléphonique, Sylvia croit entendre un homme chanter de désespoir.

C'est ainsi que Sylvia l'obéissante longea la rue étroite qui menait à la maison de Jean-Guy. Les bougainvilliers étaient si lourds de fleurs qu'ils débordaient par-dessus les murs des vieilles demeures. C'est Émile qui lui ouvrit la porte. Il sourit largement puis tourna aussitôt sa tête de côté, porta une langue de belle-mère à sa bouche et, les joues gonflées d'air, la déroula en stridulant.

« Il se voit déjà souffler dans le *chophar* un soir de Kippour », se dit Sylvia.

Elle dut quand même reconnaître qu'Émile portait le

trois-pièces à la perfection, et quoique rondouillard, l'étoffe bien coupée tombait parfaitement sur son corps. « Il devrait se déguiser comme cela tous les jours », songea-t-elle.

– Devine qui je suis ? demanda Émile.

– Je ne vois pas, mais vous êtes très chic.

– En Gatsby le Magnifique, gloussa Émile dans un rire qui fit vibrer ses molaires.

Il se tortilla à la façon de l'hippopotame en tutu de *Fantasia*, comme pour aviver le mauvais esprit de sa camarade. Mais Sylvia était déjà saisie par la beauté inattendue du lieu. Jean-Guy avait été antiquaire. Comme elle ne pouvait s'empêcher de tout ramener à elle, elle se dit que c'était un homme comme Jean-Guy qu'elle aurait dû aimer, un esthète sachant apprécier la vie avec juste ce qu'il faut de désinvolture, dans une attitude de nonchalance maîtrisée, vivant, appréciant et aimant comme si de rien n'était. La pièce principale regorgeait de statues antiques, d'objets religieux. Des tableaux Renaissance flirtaient sous les toiles d'araignées avec des toiles cubistes, des tentures d'Aubusson se devinaient malgré le peu d'éclairage que diffusaient les lustres à pampilles. Le sol, de damiers noirs et blancs, usés ou cassés par le temps, conduisit Sylvia jusqu'au centre de la pièce, soutenu par des colonnes sculptées représentant un monde végétal imaginaire. Avançant telle Dorothée sur la route du magicien d'Oz, Sylvia salua Odette qu'elle avait peine à reconnaître car celle-ci s'était inspirée de la Jeune Fille à la perle pour venir chez Jean-Guy. Coiffée d'un bandeau bleu auquel se mêlait une légère draperie jaune, portant une perle en forme de goutte à l'oreille gauche, elle était irréprochable. Avec son trot de souris habituel, elle vint à la rencontre de Sylvia et l'embrassa chaleureusement. Sylvia en eut la gorge serrée.

– Sois la bienvenue, chère Sylvia.

Le regard si tendre et si bleu d'Odette partit à la recherche de quelqu'un parmi les convives turbulents et passablement avinés. Il s'arrêta sur une femme portant un chignon haut et surmonté de deux fleurs de bougainvilliers plantées dans les boucles de ses cheveux.

– Chantal ! appela Odette.

Chantal se retourna, ce qui fit sursauter Sylvia. Elle avait uni ses sourcils par un trait noir afin d'imiter l'artiste Frida Kahlo ; la raie nette et centrale juste au-dessus du front séparait ses cheveux laqués et lui donnait un regard implacable. Mais Chantal était trop heureuse pour garder le visage fermé de la peintre. Ses yeux bleus papillonnaient d'émotion, slalomaient de convive en convive. Elle portait fébrilement un plateau de coupes de champagne pleines à ras bord. Elle sourit, puis rit avec coquetterie ; elle avait quelque chose d'adorable que Sylvia n'avait jamais remarqué jusqu'à présent.

Sylvia prit une coupe puis fouilla dans sa poche à la recherche de sa moustache. Elle la replaça sur la peau échauffée, ce qui fit rire de plus belle Frida Kahlo et la jeune fille à la perle.

Sylvia n'aimait pas le champagne mais celui-ci était si frappé que les bulles continuaient de frémir sous son palais avant qu'elle les avale. Elle avança, moustache en avant, vers le jardin sauvage de la maison. Une fontaine à la matière volcanique goûtait dans un bassin et Sylvia aperçut, au-delà de son reflet d'homme à moustache, des salamandres noires qui se déplaçaient avec circonspection. Furtivement, elle trouva qu'avec sa moustache, elle ressemblait à son grand-père. Elle se releva, étourdie, et fila vers la maison, en direction d'un grand écran plasma sur lequel se convulsait de souffrance, mais sans le son, le visage de Jacques Brel. Deux personnages étaient assis sur le canapé, médusés devant les expressions muettes du chanteur. Coiffé d'une lourde mèche qui lui couvrait le front, un cercle noir autour d'un œil, la bouche couleur *rouge baiser* qui tombait en une moue exagérée, Jean-Guy fumait négligemment, comme s'il avait posé dans l'atelier du peintre Otto Dix. Il semblait captivé par l'écran. Au bout des doigts, ses ongles accentués par le vernis assorti à ses lèvres rendaient ses mains plus longues et plus noueuses. Miguel, la veste kaki et le cigarillo mordillé, les bras écartés de part et d'autre du dossier, fit un clin d'œil à Sylvia. Jean-Guy, à peine surpris, se dégagea pour laisser une place à son invitée.

Jacques Brel transpirait beaucoup. La sueur lui piquait

les yeux qu'il clignait le plus souvent possible. Jamais Sylvia ne s'était mise dans un tel état pour interpréter un rôle. Elle n'avait jamais transpiré. Quand elle aurait pu atteindre la vérité d'un sentiment, c'est alors qu'elle quittait son corps : se séparer de lui, au risque de ne jamais le retrouver, valait mieux que de donner à voir au monde sa propre désespérance.

– Voilà un homme qui a compris totalement l'esprit de Pourim, articula difficilement Jean-Guy en pointant nonchalamment son index vers l'écran plasma : Jacques Brel pleurait et riait en noir et blanc.

Jean-Guy poursuivit :

– L'avenir du judaïsme, c'est l'athéisme, Sylvia. C'est ça Pourim ; rien d'autre. Plus de Dieu. Et pourquoi plus de Dieu ? Parce que Dieu est parmi les hommes. Il nous a laissé la Torah et il a disparu. Dieu absent, qu'est-ce que cela change à notre conduite les uns envers les autres ? Qu'est-ce que cela change à l'amour, que Dieu soit une hypothèse ? L'athéisme, c'est croire en l'homme. De préférence avec désespoir. Comme Jacques Brel.

Et Jean-Guy de retourner avec *sprezzatura* vers le chanteur en noir et blanc, ébloui par la lumière qui venait du dedans de lui, articulant exagérément, comme s'il savait qu'il serait difficilement entendu. Brel semblait submergé par un deuil ancestral mais l'exprimait d'un sourire radieux. Armé de la télécommande, Jean-Guy monta le son pour tonitruer avec le chanteur : *Alors sans avoir rien, que la force d'aimer, nous aurons dans nos mains, amis, le monde entier !*

Il tourna son visage vers Sylvia et approuva avec tendresse et sévérité, le monocle autour de l'œil. Puis il coupa le son. Le chanteur conserva le désespoir du monde sur son visage radieux.

– On m'a dit que vous étiez partie théâtralement de chez l'ami Franck. Vous vous êtes crue dans un téléfilm ?

– Ce sont les meilleurs, répartit Sylvia.

– Ça c'était avant, chérie. Désormais c'est maintenant que ça se passe.

Sylvia eut envie de se serrer contre Jean-Guy et de l'embrasser plusieurs fois sur la joue. Le bec de l'oiseau noir et blanc de la fraternité venait de lui picorer le cœur.

Sylvia avait la gueule de bois de ses excès de la veille et chabbat venait à point, au moins pour avoir bonne conscience de ne rien faire du tout, et dans le noir qui plus est. Sa mère considérait l'oisiveté comme le gisement de tous les vices. Dans la pénombre de l'appartement, Sylvia fut envahie d'un sentiment coupable non seulement vis-à-vis de sa mère mais aussi de son père qui, lui aussi, avait le culte des journées bien remplies. Si sa conversion au judaïsme n'avait pas tenu, c'était à cause de sa maudite oisiveté. Au fond de l'appartement, derrière la fenêtre coulissante de la salle de bains, les chatons prenaient de la vigueur.

Dans les foyers autour de Sylvia, les femmes allumaient les bougies pour inviter le chabbat à répandre sa joie sur la table du repas. C'était à la femme de prier pour que ce vœu s'accomplisse et se renouvelle. Sylvia revit subitement le visage d'Eliza Doolittle, glissant les chaussons aux pieds du professeur Higgins, dans son film culte *My Fair Lady*. Elle se remémora le visage du maître, heureux, sans doute bouleversé mais se protégeant d'un sourire malin, inclinant son chapeau sur ses yeux afin d'y cacher ses larmes d'amoureux étonné de l'être enfin, les jambes nonchalamment allongées sur le repose-pieds, recueillant les fruits du travail qu'il avait accompli sur la jeune fille : la souillon arrogante était devenue une sublime femme au foyer. C'était précisément à cause de cet instant de cinéma que Sylvia, devant la télévision de sa grand-mère, avait eu la révélation de sa vocation. Eliza Doolittle glissant les chaussons l'avait poussée à devenir actrice alors qu'en fait – Sylvia le comprenait ce soir –, enfilant aux pieds de son mentor ses chaussures d'intérieur, Eliza sanctifiait déjà le chabbat. Le corps de Sylvia se glaça. Elle venait de mettre le doigt sur les fondements de sa révélation : comme Éliezer, elle avait fait *techouva* devant le téléviseur, mais elle s'était trompée d'interprétation. Quand elle avait cru voir sur l'écran sa vocation d'actrice, c'était son désir de judaïté qui s'était manifesté. Et il lui avait fallu toutes ses années d'actrice-oisive, à assumer tant bien que mal ses rôles de Juive, il lui avait fallu avancer frileusement vers des cours de Torah, entamer une conversion qu'elle était sur le point d'abandonner, tout cela à cause de l'amour dans les yeux d'une femme glissant des pantoufles aux pieds d'un homme. C'était cela qui s'était produit dans le cœur de la petite Sylvia de douze ans, au bout de la table de la salle à manger familiale. Sylvia était rentrée à l'intérieur du regard mutin et résigné d'Eliza Doolittle, tout au fond duquel scintillait l'incandescence des bougies du chabbat.

Mais il était trop tard maintenant.

Elle prit la décision de rester dans la pénombre jusqu'aux lueurs de l'aube. Elle sentait toujours l'irritation au-dessus de la lèvre supérieure lui brûler la peau. La crème à l'avoine qu'elle s'était appliquée pour calmer la douleur n'avait pas suffi. Elle s'allongea sur le sofa, pensant à ce Bruno, mais elle ne parvenait pas à se rappeler précisément son visage. Il se mêlait à celui d'Éliezer.

*

Sylvia arpentait depuis une heure le trottoir face à l'entrée de l'établissement dans lequel le fameux Bruno donnait sa conférence sur l'amour. Toujours vêtue de son deux-pièces noir et de sa chemise blanche, Sylvia savait que tous les disciples avaient été conviés à la grand-messe. Franck avait même suspendu pour la matinée sa leçon d'hébreu biblique. Au cours de ses allées et venues, Sylvia se demanda quel attachement ses coreligionnaires pouvaient éprouver pour ce petit homme suffisant qui ne dégageait pas un judaïsme très investi. Il avait l'air surtout friand de séduction ; son côté professeur de philosophie sans doute. Assise maintenant au bord du trottoir, Sylvia s'énervait en imaginant l'activité majeure de cet enseignant parisien, déjeunant plutôt deux fois qu'une avec les jolies hypokhâgneuses aux grands yeux d'*Eliza Doolittle*, papillonnant du désir de savoir. Elles buvaient à petites gorgées innocentes au puits des connaissances de Bruno qui, lui, en profitait pour engloutir à l'œil, de ses dents de prédateur, une assiette de céleri rémoulade dans la salle du réfectoire. Sylvia était arrivée en retard afin d'échapper au regroupement solennel autour du gourou. Chabbat était enfin passé. Pour le moment, elle attendait, butée, de l'autre côté du trottoir. Elle voulait parler à Franck, assumer face à lui sa rétro-conversion. Juste avant de venir se planter devant la salle de l'auditoire, elle était passée à la pharmacie, afin d'acheter un remède efficace contre l'irritation au-dessus de ses lèvres. Le pharmacien avait imperceptiblement souri en observant sa brûlure et lui avait proposé une pommade à base de cortisone. Sylvia avait gardé le tube dans son sac pour l'appliquer quand elle rentrerait faire ses bagages. Elle toucha sa peau, entre le nez et la lèvre supérieure. Son cœur se mit à battre très vite. Elle venait de deviner sous la pulpe de son index un léger râpeux. La peau avait dû méchamment s'assécher. Le pharmacien avait eu l'air amusé sans doute parce qu'elle lui avait expliqué que l'allergie était due à la pose d'une moustache pour fêter Pourim. Mais peut-être était-ce pour autre chose. Elle avait également demandé au commerçant une petite boîte de tampons hygiéniques en cas de besoin, car une fois encore, elle ne se souvenait plus de la dernière fois où elle avait eu ses règles. Elle avait perdu la perception du temps qui se définissait ici d'un chabbat à l'autre. Le malveillant pharmacien avait certainement souri parce qu'une femme de l'âge de Sylvia avait encore ce genre de nécessités. Elle eut soudain très peur. Peut-être l'adhésif de la fausse moustache avait surexcité les bulbes du duvet de ses lèvres en phase ménopausique, et ces derniers s'étaient rebiffés sous le coup de l'arrachage violent en s'épaississant. Elle était si furieuse à cause de ce renard de Bruno et de ses allusions incompréhensibles au sujet de son grand-père ! Voilà sans doute comment il parlait à ses étudiantes : de façon elliptique, insidieuse. Voilà comment il les manipulait pour finir avec elles sur leur petit lit de colocation.

« Médiocre petit professeur avec son outrecuidant savoir d'intellectuel parisien », écumait Sylvia.

Émile sortit de l'établissement le premier. Ses yeux particulièrement jaunes ce matin faisaient ressortir d'autant plus le blanc de ses grosses dents. Il traversa la route et se dandina vers Sylvia, ému mais joyeux.

– Tu as raté quelque chose. Ça y est, j'ai enfin compris : « Heureux celui qui a le courage d'aimer sans espoir de retour. »

Il se frappa la tempe de son index.

– Je crois que c'est enfin rentré là-dedans…

Il s'accroupit devant Sylvia, lui prit les mains avec tendresse. Il avait la peau douce, trop douce, presque huileuse. Sylvia ne put s'empêcher de penser que décidément Émile n'avait pas les faveurs d'Éros, d'autant que sa pose étirait la couture de son pantalon et compressait ses testicules en un fatras de chair indéfini que le Beth Din n'aurait certainement pas certifié cacher.

– « Émile est un évangéliste qui s'ignore », en conclut l'amère Sylvia en sentant la texture trop soyeuse des doigts de l'homme croisés entre les siens.

Puis toute la petite communauté, planant sous les bienfaits spirituels prodigués par l'érudit Bruno, se déversa hors des battants de portes. Sylvia se rappela les sorties d'église du dimanche midi, l'extraction lente et méthodique des croyants hors du porche de l'édifice, chacun d'eux cherchant un créneau pour échanger quelques mots en privé avec le prêtre. Et le prêtre du jour, c'était Bruno et son prêche philosophique sur l'amour, comme tout bon curé du dimanche.

« Ça tombe bien pour lui, on est dimanche », enrageait Sylvia.

Et on voulait encore savoir, on voulait encore comprendre, entendre la phrase salvatrice, celle qu'on n'avait toujours pas reçue, qu'on n'avait toujours pas saisie véritablement, celle qui bouleverserait tout et qui ferait que subitement l'amour ne serait plus un mystère. Michael murmura quelque chose à Chantal qui approuva sérieusement. Ils gardaient bien au chaud leur éclaircissement, en bordaient avec bienveillance leur solitude commune. Coralie rayonnait, affichait un sourire béat, les yeux dans le vague. Sa lèvre supérieure n'en finissait pas de remonter vers le haut de ses gencives. Elle était pleine de reconnaissance. Émile tenta un regard dans sa direction, mais Coralie ne semblait plus le voir. Comme si l'amour en tant que manque d'amour lui suffisait. Elle ne cherchait plus l'amour hors d'elle. Elle regardait son manque à l'intérieur. Chantal glissa fébrilement une cigarette entre ses lèvres. Après tout, elle n'était pas encore convertie. Sylvia devinait son souffle affolé en suivant les hauts et les bas de la tige éteinte alors que Chantal fouillait dans son sac béant à la recherche d'un briquet.

Un peu plus loin, Jean-Guy alluma sa propre cigarette d'un geste automatique, comme s'il avait toujours une allumette au creux de la main. Inhalant sa première bouffée, il posa sur Sylvia un œil circonspect. Il la salua de loin. Il semblait contrarié.

« Il doit se dire que je suis l'incarnation même du manque d'amour », subodora l'intéressée.

Jean-Guy, pour confirmer l'hypothèse de Sylvia, expira la fumée à la façon d'un père songeur devant sa fille butée. Miguel surgit derrière lui, la barbe de plus en plus dessinée, faisant ressortir le noir de ses yeux d'Inca. Il portait maintenant une casquette de velours ras sur ses lourds cheveux de jais. Elle semblait trop légère, prête à filer au premier coup de vent, tel un jeune écureuil sur une branche trop fine. L'Amérindien fixait le sommet des toits, un sourire aux lèvres comme celui d'un héros de western spaghetti, prêt à dégainer son amour à blanc dans le vif soulèvement d'un poncho invisible.

Éliezer apparut. Il posa sa main puissante sur l'épaule de Jean-Guy, confirmant leur solidarité masculine. Le cœur de Sylvia se mit à battre de fureur. Mettre la main sur l'épaule d'un ami, bravement, silencieusement, c'était quand même autre chose que de s'adresser une fois dans sa vie à Sylvia, avancer enfin vers elle, prononcer un mot, lui dire *Bonjour Sylvia.*

« Bonjour Sylvia ! » marmonna-t-elle pour elle-même.

Elle en avait assez de lui, de sa bonté molle et évasive, toujours dans l'évitement. Si c'était cela le résultat de sa *techouva*, il pouvait la réviser. Éliezer savait écouter son ancien professeur de philosophie, étudier dans une yechiva du matin au soir, parler d'amour, réfléchir sur le sujet, en transpirer d'effusion intellectuelle, mais il n'était même pas fichu de venir vers une femme et de lui dire *Bonjour Sylvia*. Une tension se figea dans sa nuque quand elle constata la tactique de l'évitement visuel que pratiquait encore Éliezer à son endroit. Car il cherchait bien à l'ignorer. Ses yeux furetaient fiévreusement. Ils semblaient toujours au bord de croiser ceux de Sylvia mais *comme par hasard* tombaient inévitablement à côté. La seule fois où il l'avait fixée de son regard immense était au cours de la soirée de Pourim, et encore, c'était au crépuscule : il ne l'avait tout simplement pas vue.

L'intérieur de la tête de Sylvia semblait en feu. Elle ne comprendrait jamais les hommes. Jamais.

Bruno apparut soudain, contrit, écoutant Odette en la soutenant par le bras.

« Mais quel cureton ! » ragea Sylvia.

Odette devait sans doute, vu les airs de commisération de Bruno, lui raconter encore l'histoire de la rafle en 1942, de son père flic qui pleure. Le radotage d'Odette la faisait opiner du chef en permanence. Sylvia, possédée par le démon de sa fureur, se demanda ce qui ferait bientôt agiter constamment son bocal à elle, quelle idée fixe viendrait se coller sous le sommet de son crâne et qu'elle essaierait de déloger sans conviction à l'aide de petits mouvements permanents du menton. Elle sentit la brûlure la lancer au-dessus de sa lèvre.

« À cause de toutes leurs conneries », maugréa Sylvia. Elle ne voulait pas avancer vers le groupe, elle ne voulait voir que Franck, lui demander pardon et lui dire qu'elle arrêtait tout, tout. Et Franck n'arrivait pas.

Éliezer partit rapidement vers une rue perpendiculaire à l'institut, la tête en avant, comme s'il luttait avec un vent qui soufflait uniquement contre lui. Sylvia avait à peine réalisé son départ soudain que Franck sortit enfin de l'établissement et talonna Éliezer, mû par un souffle tout aussi intense mais qui, lui, le propulsait. Ils disparurent tous deux. Sylvia, possédée à son tour par la bourrasque, bondit hors du trottoir dans un tressaillement de tout son corps, ce qui n'échappa pas à Bruno. Il avait observé, tout en écoutant Odette, l'étrange chorégraphie qui s'était produite en quelques secondes sous ses yeux. Il posa une main délicate sur le bras d'Odette et fila dans la direction indiquée par le départ de Sylvia.

La femme traçait derrière les deux hommes. Ils n'étaient qu'à quelques dizaines de mètres devant elle. Elle voulait les atteindre, leur attraper le bras, les tourner vers elle, arrêter brutalement leur course, l'un pour lui dire qu'elle cessait son processus de conversion parce qu'elle n'aimait pas son prochain, et l'autre pour l'obliger à la regarder enfin.

Grâce aux *qav* pointés hors de ses *igoul*, Sylvia fixait tantôt la casquette de Franck, tantôt le Borsalino d'Éliezer, qui était en tête de peloton. Le feutre noir se mit à accélérer, la casquette d'humble coton aussi, mais pour une raison plus concrète : Franck venait de décrocher son mobile qui avait sonné au fond de sa poche. Il entendit quelque chose à travers le combiné qui allongea sa foulée. L'*ayin* de Sylvia, son en-dedans tari et exorbité, ne lui permit pas de sentir qu'un petit homme trottait lui aussi derrière eux.

Ils entrèrent dans la vieille ville, passèrent sous la porte de Sion, respectant toujours la dizaine de mètres qui les séparait. Des badauds se retournaient à leur passage, étonnés par cet étrange trio ; encore plus intrigués lorsqu'ils voyaient Bruno suivre l'escadron à petites foulées rapides. Franck fit soudain une embardée sur la gauche et pénétra dans une ruelle sombre et humide. Sylvia s'affola. Elle devait faire un choix. La casquette ou le Borsalino ? Elle se décida pour Franck, devinant qu'Éliezer se rendait vers sa yechiva. Où pouvait-il se rendre sinon là-bas ? Quelle autre raison que l'étude et la prière poussait cet homme à fendre l'air si ça n'était pour satisfaire ses besoins urgents d'interroger les Textes ?

Franck ralentit. Sylvia se plaqua dans le renfoncement d'une porte. Bruno, qui s'élançait à vive allure à l'intérieur de la même ruelle, repartit immédiatement en sens inverse et s'immobilisa à l'angle des deux rues. Franck s'arrêta net. Sylvia devina son dos tendu comme celui d'un animal à l'affût. Sa fine nuque guettait l'obscurité. Des talons aiguilles se firent entendre, retenant leur crissement sur le dallage glissant. Ces petits pas de biche évoquèrent quelque chose à Sylvia. Cachée dans sa planque, elle devina que les talons supportaient un corps souple et léger, des jambes élancées au galbe ferme. Sylvia dégagea l'un de ses *youd*, le plus infime, et vit l'ombre d'une femme glisser sur les murs voûtés et avancer telle une féline. Face à sa proie, elle étirait lentement chaque muscle de son corps. Son joli minois apparut, irradiant une joie impassible. Les respirations s'affolaient et semblaient égratigner les murs. L'homme et la femme attendaient, se faisant face, rendant la séparation insoutenable. Franck fit brusquement un pas vers la femme et l'attira vivement contre lui. Plongeant son visage dans le cou féminin, il entraîna sa prise et l'immobilisa contre la paroi glaciale. Les bouches des amants s'unirent de la pure joie des mortels. Parfois leurs souffles remontaient à la surface de leur folie pour descendre un peu plus profondément dans le sans-fond du désir. De sa sombre cachette, Sylvia, horrifiée, reculait à tâtons en gardant le contact avec la paroi antique. Puis, se tournant vers la lumière de la rue principale, elle faillit se trouver nez à nez avec Bruno qui fit immédiatement volte-face et se cacha entre deux portants de tee-shirts touristiques à la gloire de Jérusalem. Sylvia resta plantée quelques minutes au milieu de la chaussée, les yeux rivés vers le sol. Franck s'était fait rattraper par son *yetser hara*. À force d'en parler, son corps s'en était embrasé.

Sylvia avançait maintenant à travers le souk tel un

zombi. Les commerçants s'interpellaient joyeusement par de petits signes complices en direction de l'étrange femme en costume noir. Bruno, aux allures de détective, la suivait, intrigué qu'elle puisse déclencher de telles réactions sur son passage. Sylvia ne pouvait plus ôter de sa mémoire les mains de Franck enserrant la taille féminine. De l'aéroport, elle lui téléphonerait pour lui expliquer les raisons de son départ, mais se souviendrait que, dans les yeux de Franck, tout au fond de son écoute attentive et bienveillante, serait nichée l'idée fixe et lancinante de plaquer la femme aux cheveux longs contre son ventre. Peut-être avait-il rencontré la Créature lors d'une précédente session de conversion. Ils avaient étudié ensemble, leurs têtes penchées au-dessus d'un livre saint, et puis un jour ils avaient accepté de reconnaître que leurs corps lisaient un tout autre texte, non moins sacré.

Sylvia fendait la foule des touristes et conversait fiévreusement pour elle-même :

« Sur la terre, furent mis Adam et les autres animaux pour lui tenir compagnie. Mais le monde avait besoin de quelque chose en plus qui manquait au paysage. Alors Ève fut créée mais rien ne prouve que, elle, ait eu besoin du monde. » L'en-dedans de Sylvia s'agrandissait de plus en plus à mesure qu'elle comprenait. Les passants l'observaient maintenant avec inquiétude. Leur instinct voyait quelque chose de menaçant émerger de Sylvia, de ses narines dilatées et de ses yeux exhorbités. Plongée dans ses réflexions, elle passa la main sur son menton où de fins poils étaient apparus. Elle en mesurait la longueur du bout de ses doigts, à la manière des hommes concentrés. Sa pensée était uniquement rivée sur l'homme, sur son désir animal toujours planqué au fond de son prétendu *ichon*, même dans celui des vieillards qu'elle frôlait maintenant à travers l'allée marchande. Elle voyait la braise toujours présente de leur ancienne ardeur. Oui, les hommes, tous les hommes qu'elle croisait maintenant plantaient leurs yeux dans les siens, avec leur faux *qav* d'hypocrites.

« Mais oui, mais oui ! » marmonna Sylvia tout en grinçant des dents, la pointe de sa jeune barbe oscillant comme un gouvernail sans timonier.

Seuls les yeux d'Éliezer se dérobaient pour ne pas lui révéler ce qui l'obsédait autant que tous les autres.

Sylvia serrait les mâchoires pour empêcher ses dents de claquer.

Elle avait eu l'innocence d'un enfant, ou plutôt celle d'une femme, pour croire en une quelconque amitié avec un homme. Une créature humaine ne pouvait pas s'allier à un animal. C'est cela qui rendait la rencontre impossible. Si la circoncision pratiquée sur le sexe de l'homme avait été créée pour tenter de l'humaniser, alors il n'y avait qu'une femme pour avoir songé à cette pratique. Seule une mère avait pu inscrire l'espoir d'un monde meilleur sur le sexe de son propre enfant.

Ainsi l'homme, tous les jours qu'il verrait son membre marqué, se souviendrait de son devoir. Plus tard dans l'histoire, lorsqu'un nourrisson serait circoncis, la mère, la génitrice, reléguée dans la pièce d'à côté, guetterait le petit cri perçant de son fils, avec angoisse et espérance, tandis que les hommes, privés de leur prépuce, pansant le sexe blessé du nourrisson, tenteraient toujours de comprendre pourquoi ce bout de chair tendre au bas de leur ventre avait un tel pouvoir qu'ils se devaient de le sublimer.

Sylvia, comme un automate, gravit l'escalier usé et étroit qui menait à la yechiva d'Éliezer. Déjà elle les entendait psalmodier, ces hommes entre eux, calmant leurs appétits de loups sous l'étoffe de leur kippa, la réajustant pour bien rappeler qui était le maître à bord, tout en s'assurant que l'affamé *yetser hara* était bien là. Sylvia se souvenait qu'aux grilles de l'entrée de l'étude étaient suspendus tous les chapeaux et vestes de ces bêtes déguisées en hommes. Elle se glissa dans un pardessus noir un peu trop grand pour elle, et posa un Borsalino encore tiède sur son crâne douloureux. Elle sentit immédiatement le poids, sûr et léger à la fois, du couvre-chef ; quelque chose en elle s'apaisa. Bruno guettait au bas de l'escalier trop étroit pour qu'il s'y engageât sans être découvert. Mais il voyait parfaitement le manège de Sylvia en pleine métamorphose. Elle fouillait les poches, en sortit une paire de lunettes et un livre de prières. Ornée de ses nouveaux attributs, elle se retourna et révéla à Bruno son nouveau visage : des montures d'acier cerclaient ses yeux bleus fous et ses joues s'étaient recouvertes d'une barbe duveteuse. Elle dévala prestement les marches, les mains fourrées dans les poches de la redingote et le Borsalino volontaire. Son pantalon noir et les baskets aux pieds lui donnaient une allure de vieil adolescent. Un hurluberlu n'étant pas une chose rare sur l'esplanade du Kotel, elle traversa le parvis comme les autres, mue par l'urgence. Elle passa devant les surveillants qui ne lui prêtèrent aucune attention. Bruno attrapa une kippa cartonnée à l'entrée de la descente vers le Mur des pleurs, dans le sillage de Sylvia. Elle semblait se déplacer à la façon d'un cormoran en direction des prieurs qui scandaient les mots d'avant en arrière, oiseaux noirs picorant le mur. Elle s'approchait d'eux, envahie par la joie extatique d'avancer vers ces hommes. Elle ne voyait que leur dos, en croisait qui remontaient en marche arrière, le regard fixé vers le mur saint, comme si tous s'étaient passé la consigne, une fois de plus, de ne pas la voir. Mais elle s'en fichait. Elle ne vivait plus pour eux, ni pour leur assentiment. Maintenant qu'elle était parmi eux, avec eux, elle n'en avait plus besoin. C'était cela qui l'avait saisie lorsqu'elle s'était couronnée du Borsalino et s'était parée de la veste noire abandonnée : son besoin des hommes s'était immédiatement dissipé. Son corps avait cessé de se glacer de rage, enveloppé de l'habit sombre, chaud et lourd sur ses épaules maigres de femme. Avançant toujours vers la rangée des chapeaux balancés en cadence au sommet des têtes, elle ne souffrait plus du manque. Elle se rappela les femmes du mur, aperçut l'enclos de ces créatures à l'image de Dieu, voilées, emperruquées, ces femmes et leur recueillement pudique, se berçant de droite et de gauche, étouffant leurs larmes dans leur livre ouvert. Elles avaient laissé derrière elles les poussettes de leurs nourrissons, petits corps attentifs aux murmures de leurs mères, à leurs sanglots d'amour pour leur Créateur. Fixant de leurs grands yeux l'étendue infinie au-dessus d'eux, devinant qu'ils pouvaient s'y perdre, les enfants cherchaient du regard les grandes sœurs, les aînées dociles, leurs mains déjà posées sur les poignées de la poussette, déjà prêtes à entamer elles aussi leur trajet rectiligne de femmes données aux hommes, sur une terre qui semblait toujours rechigner à les accueillir. Mais Sylvia ne craignait plus pour sa propre peau. Elle devina l'odeur forte de sa redingote. Elle s'approcha du groupe des suppliants. À ce moment-là, Éliezer la frôla et la dépassa pour se joindre comme un automate aux brouhahas et à la cohue. En bras de chemise, la tête couverte de sa kippa sombre, n'ayant pas retrouvé ses attributs à la sortie de la yechiva, il atteignit le mur. Ses larges paumes se plaquèrent aussitôt contre la muraille usée comme pour y chercher un passage secret. Son corps entier semblait vouloir disparaître dans la roche. Et ce que murmurait Éliezer, les yeux levés vers le sommet du vestige du temple, ce qu'il implorait à la face du divin, c'était de ne jamais être tenté une fois de plus de regarder Sylvia dans les yeux, afin que rien de ce qu'il avait cru y voir ne s'écroule. Car tout au fond des pupilles de la jeune fille, il avait aperçu dans l'une, la flamme de la cruauté, et dans l'autre, celle des Temps messianiques. Depuis trente ans, il interrogeait les Textes pour saisir le sens du pur et de l'impur. Il savait bien que recroisant le regard désormais évidé de Sylvia, il douterait de tout.

Sylvia glissa ses mains dans les poches de la veste d'Éliezer. Elle sentit de petits bouts de coton et les épluchures desséchées d'une mandarine. Elle n'était plus qu'à deux mètres de la ligne des hommes lorsque Bruno la saisit par le bras.

– Sylvia !

Elle entendit la voix et son cœur tomba dans une tranchée, juste avant de toucher le mur. Elle avait tout de suite reconnu ce timbre qui montait vers l'aigu en fin de phrase. Ce lutin maléfique, avait réussi à la débusquer jusqu'ici. À quelques mètres d'eux, le visage caché entre ses mains, Éliezer priait et priait encore.

Bruno serra plus fermement le bras de Sylvia et avança son corps prêt du sien.

– Sylvia, mais qu'est-ce que vous faites ? chuchota-t-il pour la raisonner.

Puis il scruta la barbe grisonnante qui continuait à pousser sur ses joues.

– Vous n'avez rien à faire ici. Ce n'est pas votre place.

Elle tenta de se dérober mais Bruno pinça de toute sa paume la chair de la femme.

– Vous n'avez rien compris. Alors je vais vous aider.

Sylvia roula des yeux comme un cheval effarouché qui doit monter dans un van. Bruno la serra plus fort.

– Vous ne vous souvenez décidément pas... petite Sylvia ?

Sylvia tenta vainement de se dérober.

– Écoutez-moi bien. Un jour, vous êtes tombée de vélo devant ma maison. Enfin, à l'époque, c'était la résidence de mon grand-père. Je vous ai vue déraper sur le gravier du chemin. Je vais être plus précis : vous m'avez aperçu et c'est alors que vous avez chuté. Je me suis précipité pour vous relever mais déjà vous remontiez sur votre vélo en criant « Ah un *Jouif*!! Au secours ! Papa ! Maman ! Il y a le *Suif*! »

Bruno étira le dernier mot pour en accentuer le danger latent et, tel un conteur, inquiéter à nouveau la petite Sylvia.

– Mais vous n'étiez qu'une enfant, sourit-il.

Une infime cruauté brilla au fond de ses yeux.

Bruno desserra sa prise.

Sylvia se rappelle instantanément la scène décrite. Elle se voit perdre le contrôle du vélo à la vue du jeune homme qui descend du perron familial. Elle sent sur ses genoux les graviers du sentier fraîchement goudronné s'incruster sous la peau tendre. Elle a encore la cicatrice sur l'arrondi de l'articulation, car maintenant elle s'en souvient clairement : elle s'est fortement égratignée, mais par deux fois, et au même endroit, à une semaine d'intervalle. La première fois lorsqu'elle a aperçu avec effroi le Juif sortir de chez lui, et la deuxième fois, quelques jours plus tard, alors qu'elle espère tant le revoir et retomber, pour être relevée, recueillie, soignée, réconfortée par lui, par lui ou par un autre, mais par l'un d'*eux*, ces *eux* dont il faut ignorer l'existence. Mais sur le petit sentier, entre la maison de ses grands-parents et la maison du Juif, la plaie à nouveau sanguinolente, Sylvia s'est redressée seule : la maison est fermée.

– Vous comprenez, n'est-ce pas que vous comprenez ? susurra Bruno.

Sous sa barbichette poivre et sel, Sylvia comprit. Elle regarda ce même homme qui, près de quarante ans plus tard, la tenait par le bras devant le Mur et tentait de la retenir sous les aisselles, sentant ses genoux se dérober. Éliezer, à quelques mètres d'eux, s'obstinait à insuffler ses suppliques dans les pores de la pierre.

– L'histoire de ces hommes autour de vous n'est pas la vôtre. Votre histoire, c'est celle du *chemin vert* de notre village. Il n'y a rien à réparer ici, conclut tendrement Bruno.

Il lâcha prudemment Sylvia qui semblait à nouveau

269

tenir sur ses jambes et indiqua la veste et le chapeau qu'elle portait.

– Allez rendre ce qui ne vous appartient pas.

À cet instant, Sylvia comprit qu'elle était messianiquement foutue. De grosses larmes sortirent de ses yeux. L'eau jaillissait enfin à travers la fente de son cœur, scindé en plein milieu. Elle se détourna de Bruno et s'adressa aux pierres d'un autre temps :

– *Adonaï melekh, Adonaï malakh !*

Sa gorge était si comprimée qu'elle sanglota pour laisser la voie libre aux mots qui déferlaient par à-coups.

– *Adonaï yimlokh Le'olam vaed !*

Les pleurs de sa vie s'élevèrent au-delà des buissons de câpres émergeant des pierres.

– *Baroukh chem kevod malkhouto Le'olam vaed !*

Le visage déformé, Sylvia entendant l'écho de son propre appel, se figea et fixa la roche. Soudain, elle se mit à tanguer d'avant en arrière.

– *Adonaï Hou HaElohim !*

Elle venait de se rappeler, l'ayant appris de son maître Franck, que cette imploration se répétait sept fois et c'est ce qu'elle fit.

– *Shema Israël, Adonaï Elohénou, Adonaï Ehad*, gémissait-elle alors que les larmes du vase brisé de son cœur continuaient à remonter dans sa gorge.

Bruno, de plus en plus inquiet, de plus en plus coupable et de plus en plus impuissant, tenant toujours la femme par le bras et suivant le balancement frénétique de son corps, interpella un prieur qui tentait de filer en douce pour s'épargner la vision d'un mystique en pleine crise. Bruno lui demanda d'aller signaler la situation au service d'ordre. Éliezer, les mains en œillère de chaque côté des yeux, se décolla du mur et partit lui aussi avec la brassée des hommes fuyant la démence. Les autres, les curieux, les badauds, les touristes du Kotel, s'approchaient de l'orthodoxe possédé qui maintenant était tombé à genoux, ses mains fines et noueuses accrochées aux pierres. Quelques portables sortirent des poches pour photographier cet homme, ou plutôt cette femme revêtue de la totalité de son renoncement. Sous leurs yeux, une *Être-Humain* retournait à la source d'elle-même.

Sur son vélo d'enfant, Sylvia roulait à vive allure à travers les champs, sentant tirer sur son genou le pansement collé à l'emplacement des deux chutes. Elle s'éloignait en se riant d'Éliezer.

*

– Avez-vous ressenti quelque chose qui s'ouvrait en vous ? lui demanda le médecin.
Sylvia fit une petite moue gênée.
– Comme une révélation ? explicita le docteur.
Elle mima la perplexité.
Un crayon à la main, l'homme en blouse blanche atten-

dit patiemment une réponse puis cocha une croix sur son calepin.

Il renchérit :

– Vous êtes-vous sentie peu à peu obsédée par une mission à accomplir ?

Elle sourit en déclinant la demande.

– Avez-vous eu besoin, ces derniers temps, de vous laver plus que d'ordinaire ?

Sylvia, sous sédatif, ne se souvenait plus de rien mais trouvait qu'elle avait en ce moment même une odeur piquante qu'elle ne se connaissait pas.

Une veste noire était suspendue sur le dossier d'une chaise ainsi qu'un chapeau sombre posé comme un chat endormi sur le siège. Elle se demanda si le médecin allait les revêtir par-dessus sa blouse et son petit bonnet assorti au moment de quitter la chambre. Elle avait hâte de voir : elle ne connaissait pas encore ce genre d'accoutrement.

– Sentiment de solitude ? Besoin d'isolement ?

Elle s'inquiéta subitement pour des chatons sans savoir d'où lui venait ce souci. Le médecin n'insista pas. Il était courant qu'un sentiment de honte envahisse les patients qui débarquaient suite à une crise mystique intense et appelée le syndrome de Jérusalem.

– Avez-vous éprouvé un complexe croissant de persécution durant votre séjour ?

Sylvia sourit un peu.

– D'infériorité ?

Elle garda le sourire.

L'homme s'éclaircit la voix :

– Vous êtes-vous déjà travestie au cours de votre vie ?

Sylvia se souvint être allée au théâtre voir *Hamlet*. Une femme interprétait le rôle-titre. Elle avait été saisie d'admiration et d'une certaine jalousie qu'on ait confié à une actrice, certes très douée, un rôle masculin aussi passionnant à jouer. Cette amatrice de téléfilms qu'était Sylvia avait vite compris que les acteurs étaient mieux lotis en matière de rôles complexes à incarner, et ce sentiment n'avait fait que se confirmer quand elle-même avait embrassé la profession. Sylvia fixait toujours le vêtement d'homme qui gisait, désarticulé, sur la chaise. Elle nia du menton s'être jamais travestie. Le médecin n'insista pas et se releva blasé ; mêlant leur malaise à un véritable trou de mémoire psychotique, les patients n'étaient jamais très coopérants. Il s'agissait principalement de touristes étrangers de constitution psychologiquement fragile qui avaient perdu, exaltés par le Lieu saint, le principe de réalité. L'hôpital les abritait le temps qu'ils décompensent. Puis le consulat de leur pays les raccompagnait gentiment jusqu'à l'aéroport, ce que les syndromés acceptaient d'ordinaire sans résistance.

– Comment expliquez-vous votre barbe ?

Sylvia leva des yeux interdits vers son interlocuteur et se demanda si elle n'avait pas affaire à un cinglé déguisé en docteur.

Arrivant dans l'enceinte de l'hôpital psychiatrique, un ancien village arabe composé de vieilles maisons de pierres à un étage, on n'avait pas su où la caser. Sa barbe n'aurait pas été acceptable dans l'établissement qui soignait les femmes. Mais comme elle s'était habillée en homme et portait le stigmate physique de son dérangement mental, on jugea préférable de ne pas encourager son embardée hors du rationnel en l'hospitalisant dans le pavillon des hommes. Elle put ainsi jouir d'une chambre individuelle.

Bredouille, le médecin en a oublié sa veste et son chapeau. À travers les vitres de la fenêtre, les branches d'un palmier se balancent au rythme de l'air extérieur. Sylvia sort de son lit pour mieux les regarder. Son corps semble léger, ses articulations souples. Une énergie fraîche et vive qu'elle pensait avoir perdue à jamais est revenue dans ses muscles.

Le chagrin qu'elle avait continué à répandre dans l'ambulance et à évacuer tout le long du transfert du Kotel vers l'hôpital l'avait aidée à calmer sa crise. C'est pourquoi l'urgentiste ne lui avait pas administré trop de calmants. Puis Sylvia s'était endormie, hoquetant parfois.

Sa chambre donne sur une ruelle désaffectée et aménagée en jardin. Les mains en visière contre le carreau de la fenêtre, elle observe la végétation. Roses trémières, giroflées, citronnier, figuier, bambous, lierres, cactus et autres plantes dont elle ignore le nom cohabitent entre massifs domestiqués et herbes folles. Derrière les hauts bambous se dressent les plaines vertes de Jérusalem. Sur la vitre, Sylvia devine le reflet d'un visage, celui d'un homme barbu, entre deux âges, aux traits détendus, détaché de tout sauf de la vision végétale qui s'offre à lui. Sylvia sait exactement ce qu'il éprouve.

Les yeux fixés sur les pales du ventilateur, Sylvia sent maintenant la mousse à raser que l'aide-soignante applique sur ses joues. Elle se rappelle son admiration pour les gestes méticuleux de son père maniant la mousse à l'aide du blaireau. La crème s'épaississait à mesure que son père moulinait les poils de la brosse sur la pâte immaculée. Puis il la répandait uniformément sur sa peau, comme s'il avait battu des œufs en neige. Avec son pouce, il dégageait ses lèvres. Comment pourrait-il comprendre que sa propre enfant eût une barbe à présent et qu'elle dût se la faire raser par une infirmière de l'hôpital psychiatrique de Jérusalem ? L'aide-soignante fait pencher en arrière la tête de Sylvia et commence à glisser le rasoir jetable sur sa peau fine. Comme le poil est duveteux, Sylvia n'aura pas la satisfaction d'entendre, comme dans la salle de bains familiale, la lame râper le poil épais de son père.
– Il y en a un qui a débarqué cette nuit, raconte l'infirmière. Il est américain mais il s'est toqué d'une langue que le groupe avec lequel il est venu visiter la Ville

sainte ne reconnaissait pas. C'est une délégation de
Combattants du feu, comme ils s'appellent. Venus tout
droit de New York. Des grands gaillards pas farouches.
Mais le type, il est devenu tellement incompréhensible
qu'ils nous l'ont déposé. Comme si, nous, on avait des
compétences pour traduire le charabia !
Sylvia aide l'infirmière à raser ses moustaches en tirant
sa lèvre supérieure vers le bas.
– L'Américain, il a fait le syndrome classique : il s'est
mis à prêcher la bonne parole sur le mont des Oliviers,
enroulé dans son drap de lit d'hôtel, une couronne
d'épines sur le front qu'il s'est confectionnée avec des
ronces ramassées dans la vallée. Il essayait de mettre
de force des morceaux de pain dans la bouche des
badauds, convaincu qu'une mission lui avait été souf-
flée par Hachem lui-même. Il déclamait sa prophétie
dans un baragouin complètement inventé qu'il disait
tenir des anges.
Sylvia ne peut s'empêcher de sourire et la lame qui
passe à ce moment-là sur ses joues l'égratigne. Un petit
saignement apparaît en surface.

Grâce au costume dont Sylvia pensait qu'il avait été
oublié par le médecin mais qui n'était autre que celui
d'Éliezer, elle put accéder sans problème à la cour
du bâtiment où étaient soignés les hommes. La chaleur était encore très supportable et Sylvia reçut une
bouffée de douceur sitôt qu'elle pénétra dans l'espace

carré et grillagé. Celui-ci était recouvert sur sa totalité d'une herbe synthétique chaude et moelleuse qui craqua sous la plante de ses pieds nus. Son corps lui paraissait toujours aussi léger qu'à son réveil. Assis à l'ombre du bâtiment, un vieil orthodoxe, les mains croisées entre les cuisses, se berçait d'avant en arrière. Un Asiatique longeait le terrain qui était accessoirement une aire de jeu ; une lyre en bandoulière, la tête baissée, il s'appliquait à suivre correctement le tracé blanc des bordures. Deux jeunes Éthiopiens, frères jumeaux, s'interpellaient de part et d'autre d'un bel homme placide, aux cheveux longs et blonds, qui semblait les arbitrer. Sylvia ralentit pour entendre leur conversation ; l'un des garçons soutenait qu'il s'appelait Jacob et son frère Ésaü, mais le jumeau, tout aussi obstiné, prétendait le contraire. Sylvia s'éloigna. Elle venait d'apercevoir, au milieu du gazon plastifié, un homme couché au soleil. Elle devina, au tee-shirt bleu marine à l'emblème des *Combattants du feu*, qu'il était le patient au langage indiscernable.

L'homme sentit une ombre sur lui. Il dégagea vivement son bras posé sur ses yeux et découvrit la silhouette à contre-jour de Sylvia.

– Par l'enfer ! s'exclama-t-il, dans son dialecte inconnu.

Sylvia vit alors le visage de l'homme : ni plus très jeune, ni déjà vieux, le front haut, légèrement bombé, les yeux noirs et vifs, le nez aquilin, la bouche encore charnue, les cheveux bouclés grisonnant aux tempes.

Il s'installa sur ses coudes et sonda Sylvia dans le contre-jour.

– Asseyez-vous près de moi, que je vous voie.

Sylvia devina la requête de l'homme à travers son jargon et lui obéit aussitôt.

Ils étaient maintenant face à face.

Il désigna d'un air interrogateur la fraîche marque du rasage. Sylvia haussa les épaules en guise d'explication. L'homme s'en contenta. Ils s'observaient encore.

Puis il reprit sa place au soleil, le souffle lent et paisible.

– Maintenant on dort, murmura-t-il avec indolence.

Sylvia obéit une fois de plus et s'allongea près du corps de l'homme. La chaleur du gazon se mêla instantanément à la tiédeur de sa peau. Elle en eut le souffle coupé une fraction de seconde. Derrière eux, le jeune homme asiatique tenta quelques accords sur sa lyre et fredonna, les yeux rivés sur la bande du terrain de jeu, un passage du Cantique des Cantiques :

La voix de mon amant, le voici, il vient !
Il bondit sur les monts, il saute sur les collines,
Il ressemble, mon amant, à la gazelle ou au faon des
*   chevreuils*
Il répond, mon amant, et me dit : lève-toi vers toi-même,
Ma compagne, ma belle, et va vers toi-même !

Sylvia s'étira de tout son corps puis elle se tourna vers l'homme tranquille. Elle observait son profil de statue grecque, son cœur qui battait à son cou où perlait une fine transpiration.

Dieu était bien parmi les hommes.

Il habitait le cœur de son voisin assoupi. Il était aussi en elle. Sylvia sourit. Puis elle rit que Dieu se soit absenté pendant si longtemps.

Elle perçut un grondement au-dessus de sa tête et scruta le ciel. Un avion passait, chargé d'hommes et de femmes, ses frères et sœurs de cœur. Entassés dans la carlingue, ils étudiaient, dubitatifs, les petits compartiments alimentaires de leur plateau-repas, savourant le jus de tomates rouge sang qui, tel un breuvage sacré, les protégeait de leurs peurs, de leurs contradictions et de leurs rêves secrets.

Ils survolaient, sans le savoir, le jardin d'Éden.

Merci à Janine, Bruno, Jérôme, Louis, Frédéric, Élie, Yaël, Yves, Robert, Josepha, Noé et Pierre-Alain pour m'avoir aidée à accomplir ce livre.

Il est dédié à la mémoire de John, de René, de Georges, d'Yvonne et de ses Maryvonne, de Jean-René, de Chantal et de Jean-Pierre.

RÉALISATION : NORD COMPO MULTIMÉDIA À VILLENEUVE-D'ASCQ
IMPRESSION : CPI FIRMIN-DIDOT À MESNIL-SUR-L'ESTRÉE
DÉPÔT LÉGAL : AVRIL 2015. N° 123083 (127416)
– Imprimé en France –